D1639150

PICCOLA BIBLIOTECA ADELPHI

279

Leonardo Sciascia

MORTE
DELL'INQUISITORE

ADELPHI EDIZIONI

Prima edizione: gennaio 1992
Decima edizione: gennaio 2006

© 1992 ADELPHI EDIZIONI S.P.A. MILANO
WWW.ADELPHI.IT

ISBN 88-459-0877-1

INDICE

PREFAZIONE *

Dirò subito che questo breve saggio o racconto, su un avvenimento e un personaggio quasi dimenticati della storia siciliana, è la cosa
che mi è più cara tra quelle che ho scritto e
l'unica che rileggo e su cui ancora mi arrovel-
lo. La ragione è che effettivamente è un libro
non finito, che non finirò mai, che sono sempre tentato di riscrivere e che non riscrivo
aspettando di scoprire ancora qualcosa: un
nuovo documento, una nuova rivelazione
che scatti dai documenti che già conosco, un
qualche indizio che mi accada magari di scoprire tra sonno e veglia, come succede al
Maigret di Simenon quando è preso da
un'inchiesta. Ma a parte questa passione per
il mistero ancora non svelato, che ancora non
sono riuscito a svelare, c'è che questo breve
mio scritto ha provocato intorno a sé come
un vuoto: di diffidenza, di irritazione, di ran-
core. L'anno scorso, in Spagna, cercando
nelle librerie antiquarie opere di Azaña e
opere sull'Inquisizione, notavo che i librai

* Questa Prefazione fu scritta da Sciascia in occasione
della ristampa di *Morte dell'inquisitore* nella collana Uni-
versale Laterza insieme alle *Parrocchie di Regalpetra*. È
qui riprodotta per la parte che riguarda *Morte dell'inquisitore*.

non battevano ciglio alla mia richiesta di libri dell'ultimo presidente della Repubblica, ma si irrigidivano a sentirsi domandare libri sull'Inquisizione. A Barcelona, un libraio si abbandonò a confidarmi che ormai non c'era pericolo a tenere e vendere libri sulla Repubblica o di personalità come Azaña (e del resto in tutte le vetrine delle librerie si vedeva *Il capitale* e la traduzione delle lettere di Gramsci), ma in quanto all'Inquisizione bisognava andar cauti. E a quanto pare bisogna andar cauti anche in Italia e dovunque, in fatto di inquisizione (con iniziale minuscola), ci sono persone e istituti che hanno la coda di paglia o il carbone bagnato: modi di dire senz'altro pertinenti, pensando ai bei fuochi di un tempo. E viene da pensare a quel passo dei *Promessi Sposi* quando il sagrestano, alle invocazioni di don Abbondio, attacca a suonare ad allarme la campana e a ciascuno dei bravi che stanno agguatati in casa di Lucia « parve di sentire in que' tocchi il suo nome, cognome e soprannome ». Così succede appena si dà di tocco all'Inquisizione: molti galantuomini si sentono chiamare per nome, cognome e numero di tessera del partito cui sono iscritti. E non parlo, evidentemente, soltanto di galantuomini cattolici. Altre inquisizioni l'umanità ha sofferto e soffre tuttora; per cui, come dice il polacco Stanislaw Jerzy Lec, prudenza vuole che non si parli di corda né in casa dell'impiccato né in casa del boia.

L'effetto, dunque, che *Morte dell'inquisitore* ha fatto su questi galantuomini, la sufficienza con cui ne hanno parlato o ne hanno taciuto, è l'altro motivo per cui tengo a questo lavoro.

Mi resta da dire che ho apportato qualche correzione a *Morte dell'inquisitore*, giovandomi di suggerimenti che generosamente qualche lettore mi ha dato, e ho aggiunto in nota un articolo su un recente ritrovamento nel palermitano palazzo dello Steri, che fu sede dell'Inquisizione.

1967   LEONARDO SCIASCIA

MORTE DELL'INQUISITORE

Item parliriti di li cosi di la Inquisitioni et dirriti li dapni di li disordini chi fachia in quisto regno lo Inquisituri et soi offitiali maxime circa lo modo di procediri et como non haviamo alcuno remedio di appella- tioni et chi eramo reducti in la major con- fusioni del mundo in quista cità et chi lo Inquisituri cum tucti li soi non attendia a fari altro chi ad extirpari dinari.
Item dirriti chi per la vita non consentiria- mo a quista Inquisitioni...

Il Senato di Palermo ad Antonello Lo Campo, ambasciatore presso Carlo V

Pacienza
Pane, e tempo.

Queste parole, graffite sul muro di una cella del palazzo Chiaramonte, sede del Sant'Uffizio dal 1605 al 1782, Giuseppe Pitré riesce a decifrare nel 1906: insieme ad altre di disperazione, di paura, di avvertimento, di preghiera; tra immagini di santi, di allegorie, di cose ricordate o sognate.

Pensa beni a la morti.
Al mondo non c'è niente rimedio.
Averti chi ccà dunanu tratti di corda e...
Sta in cervellu chi ccà dunanu la corda...
Vi avertu chi ccà prima dunanu la corda...
Fa cuntu chi vinisti ora.
Innocens noli te culpare; Si culpasti, noli te excu-
            sare; Verum detege, et in D.no Confide.
Fari asino.
Mors, ubi est victoria tua?

Tre celle fitte di iscrizioni e di disegni, in due e più strati sovrapposti. Pitré impiegò sei mesi a decifrarli, a interpretarli, ad attribuirli: e l'opera, *Del Sant'Uffizio a Palermo e di un carcere di esso*, non era definitivamente pronta, quando dieci anni dopo morì (e l'edizione

15

postuma, curata da Giovanni Gentile, è peraltro di scorrettissima stampa).[1] Già vecchio, fece un commovente lavoro su una commovente materia; su un oscuro, anonimo, informe dramma da cui con pazienza e studio riusciva a far affiorare qualche volto, qualche nome: il dotto Francesco Baronio o Barone, il poeta Simone Rao. Attribuiva al primo certe immagini di santi accompagnate da brevi ed esatte dichiarazioni agiografiche, da preghiere in distici latini; al secondo certe ottave, in dialetto, di sconforto, di disperazione. Come questa:

> *Cui trasi in chista orrenda sepultura*
> *vidi rignari la [gran] crudeltati*
> *unni sta scrittu alli segreti mura:*
> *nisciti di spiranza vui chi ntrati;*
> *chà non si sapi s'agghiorna o si scura,*
> *sulu si senti ca si chianci e pati*
> *pirchì non si sa mai si veni l'hura*
> *di la desiderata libertati.*

A quanto pare né Simone Rao, né gli altri prigionieri che sulle mura delle celle hanno lasciato testimonianza dei loro sentimenti (questi scritti e disegni Pitré li chiama *palinsesti del carcere*), hanno apprezzato al giusto le comodità che il Sant'Uffizio offriva loro; stando anzi all'affermazione che segue, erano dei maniaci, non diversi da quelli che oggi scrivono i loro nomi e pensieri sulle pareti dei monumenti famosi e dei gabinetti pubblici:

*Le prigioni inquisitoriali non furono mai le oscure
segrete che ci s'immagina: eran formate da celle
spaziose, luminose, pulite e ammobiliate. In molti
casi, i prigionieri vi portavano i loro mobili, e si
concedeva sempre, a chi lo chiedesse, l'uso di libri,
di carta e del necessario per scrivere.*

Parole che non sono state scritte dall'ultimo
inquisitore o da un suo familiare, ma da un
nostro contemporaneo, lo scrittore spagnolo
Eugenio D'Ors, in un libro che s'intitola *Epos
de los destinos*:[2] epici destini individuali che
confluiscono nell'epico destino spagnolo, che
formano e sono il destino della Spagna. E
uno di questi destini è quello del cardinale
Jiménez de Cisneros: reggente di Castiglia
alla morte di Ferdinando il Cattolico, grande
inquisitore, fondatore dell'Università di Alcalá de Henares; mano, dice D'Ors in suo
linguaggio, che ha soffocato la Spagna ma al
tempo stesso l'ha sorretta. E come si possa
soffocare e sorreggere insieme, è un mistero
della prosa (non possiamo dire del pensiero)
di D'Ors. Una mano che soffoca non sorreg-
ge che un cadavere; a meno che non gli man-
chi la forza per compiere l'opera. Ci pare
perciò meglio spiegato, da parte di Américo
Castro, lo stesso concetto della soffocazione:

*L'Inquisizione fu una lunga calamità, rese ancora
più angusta la curiosità intellettuale degli spagnoli, ma non riuscì a soffocare nessun grande pensiero uscito dal seno della vita di quel popolo.*[3]

Non riuscì: così va bene. Ma torniamo al Pitré, che del Sant'Uffizio e delle sue carceri aveva, in concreto, idea ben diversa da quella di D'Ors.

La scritta *Pacienza/Pane, e tempo* egli così la commenta:

Tre cose purtroppo indispensabili per non disperarsi, per poter vivere e attendere; nelle quali non occorre cercare un significato meno che sincero di rassegnazione, poiché il pensiero d'una rivincita o d'una vendetta col Tribunale sarebbe stato sogno di mente inferma. Pensieri simili saranno stati del tempo, ma non del luogo.

Eppure, nell'introduzione al suo studio, Pitré ha ricordato un uomo capace di nutrire, in quel luogo, pensieri di rivincita e di vendetta: il racalmutese fra Diego La Matina. Capace non solo di nutrirli, quei pensieri, ma di attuarli sull'inquisitore in persona, l'illustrissimo signor don Giovanni Lopez de Cisneros.

Mercordì 4 [aprile 1657]. Si sepellì nella chiesa di Santa Maria degli Angeli de' padri Zoccolanti, detta la Gangia, l'illustrissimo signor D. Giovanni Lopez Cisneros, inquisitore in questo regno di Sicilia, il quale avendo andato nelle carceri secrete dentro il palazzo proprio degli stessi inquisitori a far la visita d'alcuni carcerati, gli venne incontro un religioso chiamato fra Diego La Matina, della terra di Ragalmuto, dell'ordine della Riforma di s. Agostino, detti li padri della Madonna della Rocca, e con animo veramente diabolico, rompendo le muffole che aveva alle mani, con l'istessi ferri gli diede molte percosse, e due particolarmente mortali, una nella fronte, e l'altra più grave nel cranio, per le quali morì. Fu questa morte compassionata con lagrime e cordoglio di tutta la città, per un caso tanto insolito, avendo quel signore avuta la morte per mano d'un uomo tanto barbaro e crudele. Vi fu gran concorso di popolo a baciargli le mani e i piedi, poiché si stimava universalmente aver morto martire per la fede di Cristo, avendo andato a visitar quell'uomo facinoroso, che stava ivi per causa d'eresie, non per altro se non per ammonirlo de' suoi errori e ridurlo alla vera penitenza per la salute dell'anima sua, non che per quella del corpo, circa lo stato delle cose necessarie al vitto, o altra cosa che gli bisognava. Ed egli, ostinato nella sua perdizione, agitato dalle furie dell'inferno, pose le mani contro quello che rappresentava il difensore ed estirpatore de' nemici d'Iddio, in tal guisa, che se non vi avessero sopragiunto altre persone al caso, l'avrebbe ucciso. Con tutto ciò il pio signore, con animo veramente insuperabile, non solo non ebbe volontà di vendicarsi da quell'ingiuria, ma in tutto il tempo che stette a letto sempre mostrò meravigliosi segni non solo di perdono a quell'empio, ma d'amore straordinario, pregando tutti a non maltrattarlo, anzi a fargli bene, per obligarlo a pentirsi de' suoi falli. Il che accrebbe all'inquisitore una lode così eccelsa, che universalmente si stimava aver morto da vero martire, con animo allegro e festante, ricevendo dalle sue mani quella morte, che infallibilmente crediamo

avergli partorita nel cielo una vita immortale,
salito ivi con la bella laureula del martirio, impor-
porata col suo proprio sangue...

Questa nota è tratta dal diario del dottor Vincenzo Auria:[4] uomo talmente intrigato al
Sant'Uffizio, e così ben visto dagli inquisitori,
che era riuscito a far diventare eresia l'affermazione che il beato Agostino Novello fosse
nato a Termini; affermazione che contrasta-
va alla sua decisione di donare (è espressione
sua) i natali del beato alla città di Palermo.[5]
Ma quando scriveva questa nota, per la verità,
la questione del beato non era ancora sorta: ci
saranno stati, comunque, ben vivi motivi di
gratitudine verso il Sant'Uffizio, di cui come
tanti altri era familiare (nel 1577 il viceré
Marco Antonio Colonna calcolava ci fossero
in Sicilia ventiquattromila familiari: *todos los
ricos, nobles, y los ricos delinquientes*).[6]
Il dottor Auria si adopera dunque a farci
intravedere, dietro la indubitabile santità di
monsignor de Cisneros, un luogo non dissi-
mile da quello descritto poi da Eugenio
D'Ors: un carcere in cui i prigionieri passeg-
giano con una certa libertà, con libertà si
avvicinano all'inquisitore che viene ad infor-
marsi di come stanno a vitto e se hanno la-
mentele o desideri da esprimere. Ma il particolare delle muffole, cioè delle manette,
dissolve l'idillica visione. Forse si erano
dimenticati di levargliele, forse l'inquisitore
stava appunto pensandoci: fatto sta che fra

Diego aveva i ceppi alle mani. Per disgrazia di monsignor de Cisneros.

Tant'è che i servi, quelli che sono servi nell'animo, sempre sono più ignobili e sciocchi dei loro padroni: e la relazione del padre Girolamo Matranga,[7] teatino, consultore e qualificatore del Sant'Uffizio, è un po' più seria della nota che il dottor Auria ha dedicato al caso. Racconta infatti il Matranga che l'inquisitore era andato alle carceri segrete, alla solita ora, per svolgere la solita opera *a favore dei rei*: la quale espressione è di vasto contenuto, e va dal discorso persuasivo ai tratti di corda. Dice ancora che fra Diego era stato condotto davanti all'inquisitore, non che gli era venuto incontro. Da questi due elementi possiamo attendibilmente dedurre che stava per subire un interrogatorio, con relativa tortura.

In quanto alla santa morte di monsignor de Cisneros, il Matranga dice soltanto che altre parole non pronunciava che di rassegnazione alla volontà divina: e così *nell'eterna Patria se ne volò a ringiovanirsi*. Niente perdono all'empio, niente straordinario amore.

Non si riesce, né dal diario dell'Auria né dalla relazione del Matranga, a sapere per quanti giorni monsignor de Cisneros stette in agonia: pochi, dice il teatino; pochissimi, se consideriamo che l'Auria scarica nella stessa nota la notizia del ferimento e quella del funerale. Si ebbe, comunque, una solenne esequia: tutte le campane della città suonarono a mortorio, e fu fermato per quel giorno l'orologio di palazzo Chiaramonte. Quell'orologio che è passato in proverbio nel popolo: *Lu roggiu di lu Sant'Ufficiu nun cunzigna mai*, non consegna mai alla libertà, non batte mai l'ora della liberazione.[8]

Nella cappella spagnola della Gangia è ancora la tomba di monsignor de Cisneros. La lapide reca questa iscrizione:

Aquí yace el licenziado D. Juan Lopez de Zisneros, natural de Castromoncho en Castilla la Vieza, provvisor y vicario general del obispado de Orense, collegial mayor del insigne colegio de San Idelfonso, universidad de Alcalá de Henares, y pariente de su fundador, fiscal y inquisidor apostolico en este reyno de Siçilia. Murió en el mismo exercitio de inquisidor a 4 de abril 1657, a los 71 de su edad. Fundó una capillania perpetua en esta capilla de que son patrones los inquisidores deste reyno.

Sulla iscrizione è uno stemma, un blasone, dentro il quale due linee verticali e quattro orizzontali formano una specie di grata: appropriato simbolo alla sua carità e a quella del suo *pariente*; che è quel cardinale Jiménez de Cisneros cui D'Ors scioglie epico canto. *La mano che soffoca, sostiene.* Ma la mano di Diego La Matina non aveva questo dono: e il parente del gran Cisneros moriva *en el mismo exercitio de inquisidor.* Per colpi di manette: un incidente di mestiere quale può capitare a uno sbirro, a un aguzzino. Era morto un po' meglio, in Aragona, nel 1485, l'inquisitore Pedro Arbues: di notte, in un agguato; per mano di *conversos*, cioè di quegli ebrei convertiti che l'occhio dell'Inquisizione mai abbandonava.[9] E questi, per quel che sappiamo, sono i soli due casi di inquisitori morti ammazzati.

Nella chiesa dell'Annunziata di Racalmuto, Diego La Matina, figlio di Vincenzo e di Francesca di Gasparo, fu battezzato il 15 di marzo del 1622: padrini uno Sferrazza, di cui non riusciamo a leggere il nome, e una Giovanna di Gerlando di Gueli. Officiò il sacerdote Paulino d'Asaro.[10]

Era signore di Racalmuto Girolamo II del Carretto, uomo spietato ed avido: e appena due mesi dopo, il 6 di maggio, un suo servo, certo Antonio Di Vita, lo avrebbe mandato agli inferi con una scoppettata. Pare che ad incaricare il Di Vita fosse stato il priore del convento degli agostiniani riformati, in rivalsa di una somma di denaro che il conte era riuscito a sottrargli. Secondo la tradizione locale, il priore era riuscito a raccogliere un bel mucchio di quattrini: e con la pia intenzione di ampliare il convento e di abbellire l'annessa chiesa di San Giuliano. Ma il del Carretto riuscì a farsi consegnare il denaro. Come prova delle intenzioni del priore e del rapace intervento del conte, il popolo indica le colonne che a lato del vecchio convento cominciavano a sorgere, la fornace da calce poco lontana.

Che un fondo di verità sia in questa tradizione, riteniamo confermato dall'epilogo stesso del racconto popolare, che dice il servo Di Vita averla fatta franca grazie a donna Beatrice, ventitreenne vedova del conte: la quale non solo perdonò al Di Vita, fermamente dicendo a chi voleva fare vendetta che *la morte del servo non ritorna in vita il padrone*, ma lo liberò e nascose. Ora chiaramente traluce e arride, in questo epilogo, l'allusione a un conte del Carretto *cornuto e scoppettato*: ma questa viene ad essere una specie di causa secondaria della sua fine, principale restando quella dell'odio del priore. Insomma: se non ci fossero stati elementi reali a indicare il priore degli agostiniani come mandante, volentieri il popolo avrebbe mosso il racconto dalle corna del conte.

Il priore non era certo uno stinco di santo: ma quel colpo di scoppetta il conte lo riceveva consacrato da un paese intero. Una memoria della fine del '600 (oggi introvabile, ma trascritta in riassunto da Nicolò Tinebra Martorana, autore di una buona storia del paese)[11] dice della vessatoria pressione fiscale esercitata dai del Carretto, e da don Girolamo II in modo particolarmente crudele e brigantesco. Il *terraggio* ed il *terraggiolo*, che erano canoni e tasse enfiteutiche, venivano applicati con pesantezza ed arbitrio: e non solo si esigevano da coloro che erano effettivamente enfiteuti nella contea di Racalmuto, ma anche da coloro che soltanto avevano domicilio nella contea e avevano enfiteusi fuori del territorio; e non dovevano essere pochi in questa condizione. Per cui la fuga di contadini dai domini dei del Carretto fu per secoli continua, e in certi periodi addirittura massiccia: e i ripopolamenti coatti o di franchigia non riuscivano a colmare del tutto i vuoti lasciati dai fuggitivi.

Il documento riassunto dal Tinebra dice che appunto durante la signoria di Girolamo II i *borgesi* di Racalmuto, che già avevano mosso ricorso per l'abolizione delle tasse arbitrarie, subirono gravissimo inganno: ché il conte simulò condiscendenza, si disse disposto ad abolire quei balzelli per sempre; ma dietro versamento di una grossa somma, esattamente trentaquattromila scudi. L'entità della somma, però, a noi fa pensare che non si trattasse di un riscatto da certe tasse, ma del definitivo riscatto del comune dal dominio baronale; del passaggio da terra baronale a terra demaniale, reale.

Per mettere insieme una tal somma, il Regio Tribunale autorizzò una straordinaria autoimposizione di tasse: ma appena le nuove e straordinarie tasse furono applicate, don Girolamo del Carretto dichiarò che le considerava ordinarie e non in funzione del riscatto. I *borgesi*, naturalmente, ricorsero: ma la dolorosa questione fu in un certo modo risolta a loro favore solo nel 1784, durante il viceregno del Caracciolo.

Il priore degli agostiniani e il servo Di Vita fecero dunque vendetta per tutto un paese, quale che sia stato il *pasticciaccio* di cui, insieme al defunto e a donna Beatrice, furono protagonisti. (Curiosa è la dicitura di una pergamena posta, quasi certamente un anno dopo, nel sarcofago di granito in cui fu trasferita la salma del conte: dà l'età di donna Beatrice, ventiquattro anni, e tace su quella del conte. Vero è che non disponiamo dell'originale, ma di una copia del 1705; ma non abbiamo ragione di dubitare della fedeltà della trascrizione, dovuta al priore dei carmelitani Giuseppe Poma: e l'originale era stata stilata dal suo predecessore Giovanni Ricci, che forse si permise di tramandare allusivamente una piccola malignità).

Il padre Girolamo Matranga, relatore dell'Atto di Fede di cui Diego La Matina fu vittima, ignorava questa storia: ché avrebbe saputo trarre brillanti considerazioni dal fatto che un parricidio, del servo verso il signore, era stato consumato nel luogo e nel tempo in cui il *parricida* era nato. Così come ignorava che uguali segni astrologici avevano presieduto alla nascita e alla morte del *mostro*. La lettura del destino degli uomini nelle stelle, era l'idea fissa di questo sadico don Ferrante: e noi siamo lieti di constatare la fallacia dell'oroscopo che egli trasse sul principe delle Spagne Prospero Filippo; e lo destinava a grandi cose, oltre che per il favore evidente delle stelle, per la coincidenza della sua nascita con la condanna di fra Diego.

Dall'anno 1622, in cui fra Diego nacque, al 1658, in cui salì sul rogo, i conti del Carretto passarono in rapida successione: Girolamo II, Giovanni V, Girolamo III, Girolamo IV. I del Carretto non avevano vita lunga. E se il secondo Girolamo era morto per mano di un sicario (come del resto anche il padre), il terzo moriva per mano del boia: colpevole di una congiura che tendeva all'indipendenza del regno di Sicilia. E non è da credere si fosse invischiato nella congiura per ragioni ideali: cognato del conte di Mazzarino per averne sposato la sorella (anche questa di nome Beatrice), vagheggiava di avere in famiglia il re di Sicilia. Ma l'Inquisizione vegliava, vegliavano i gesuiti: e, a congiura scoperta, il conte ebbe l'ingenuità di restarsene in Sicilia, fidando forse in amicizie e protezioni a corte e nel Regno. Una congiura contro la corona di Spagna era però cosa ben più grave dei delittuosi puntigli, delle inflessibili vendette cui i del Carretto eran dediti. Giovanni IV, per esempio, aveva fatto ammazzare un certo Gaspare La Cannita che, appunto temendo del conte, era venuto da Napoli a Palermo sulla parola del duca d'Alba, viceré, che gli dava guarentigia. È facile immaginare l'ira del viceré contro il del Carretto: ma si infranse contro la protezione che il Sant'Uffizio accordò al conte, suo familiare. (Questo stesso Giovanni IV troviamo nella cronaca dello scoppio della polveriera del Castello a mare, 19 agosto 1593: stava a colazione con l'inquisitore Paramo, ché allora il Sant'Uffizio aveva sede nel Castello a mare, quando avvenne lo scoppio. Ne uscirono salvi, anche se il Paramo[12] gravemente offeso. Vi perirono invece Antonio Veneziano e Argisto

29

Giuffredi, due dei più grandi ingegni del cinquecento siciliano, che si trovavano in prigione).

Della *familiarità* dei del Carretto col Sant'Uffizio abbiamo altri esempi. Ma qui ci basta notare che a Racalmuto, contro *l'eretica pravità* e a strumento dei potenti, l'Inquisizione non doveva essere inattiva. Purtroppo, nonostante un illustre storico affermi che nulla o quasi c'è da aggiungere a quanto sull'Inquisizione in Sicilia scrisse il La Mantia,[13] sappiamo pochissimo. Il Garufi,[14] per esempio, già aggiunse molto, frugando negli archivi spagnoli, alle notizie pubblicate dal La Mantia: e ancora non ci siamo.

Appunto da documenti pubblicati dal Garufi sappiamo che a Racalmuto c'erano, nel 1575, otto familiari e un commissario del Sant'Uffizio; e due anni dopo dieci familiari, un commissario e un mastro notaro: su una popolazione di circa cinquemila (il Maggiore-Perni dà 5279 abitanti nel 1570, 3825 nel 1583: per quanto queste cifre siano da accettare con cautela, si può senz'altro ritenere attendibile la flessione). Vale a dire che il solo Sant'Uffizio aveva una forza quale oggi, con una popolazione doppia, non tengono i carabinieri. Se poi aggiungiamo gli sbirri della corte laicale e quelli della corte vicariale, e le spie, ad immaginare la vita di questo nostro povero paese alla fine del secolo XVI lo sgomento ci prende.

Ma di racalmutesi caduti nelle grinfie del Sant'Uffizio, prima di fra Diego, ne troviamo uno solo: il notaro Jacobo Damiano, imputato di opinioni luterane ma *riconciliato* nell'Atto di Fede che si celebrò in Palermo il 13 di aprile del 1563. *Riconciliato*: cioè, per manifesto e pubblico pentimento, assolto; ma non senza pena, come apprendiamo da questa commovente istanza:

Rev. Sig. Inquisituri. Lo poviro Notar Iacobo Damiano reconciliato per lo S. Officio de la Inquisizione, fa intendere a li S.V.R. qualmenti per multi modi et expedienti che ipso ha cercato, non trova forma nixuna di potirisi alimentari si non di retornarsi in sua terra di Racalmuto undi cum lo ajuto et subsidio de li soi parenti si porria substentari et finiri li pochi jorna de sua vita stanti la sua vichiza et infirmità. Et perché tanto esso esponenti como dicti soi parenti sono stati et sono persone di honore, talché vedendo ad esso esponenti cum lo ditto habito a nullo modo lo recogliriano, anzi lo cacciriano et lo lassiriano andar morendo de fame et di necessità. Pertanto si butta a li pedi della S.V.R. siano servuti farli gratia di commutare il ditto habito in altra penitentia et pena pecuniaria per la redemptione delli cristiani captivi che stanno in terra di Mori, che esso supplicanti recoglirà delli suoi parenti quilli dinari possibili per ditto effetto, altramenti è facili moririsi di fami et essiri abbandonato da tutti.[15]

L'abito cui si riferisce il povero notaro è il cosiddetto sambenito: un *sacco benedetto*, una specie di corta tunica, gialla e biffata da due strisce a croce di sant'Andrea. Ed era l'abito dell'infamia (e anche se oggi, nei paesi siciliani, ciascuno porta, pirandellianamente, il proprio sambenito, cosa ben più atroce doveva essere nel passato portare realmente l'abito della vergogna).

Il Garufi ritiene che la proposta del notaro, di mutargli in pena pecuniaria la pena del sambenito, non abbia lasciato insensibile l'inquisitore: che era Juan Bezerra de La Quadra, uomo la cui avidità stava in pari alla ferocia.

Ma che il notaro abbia davvero professato opinioni luterane, noi dubitiamo: così come dubitiamo dell'effettivo luteranesimo di tutti coloro che, accusati come ostinati o sospetti luterani, dal Sant'Uffizio venivano rilasciati al braccio secolare o riconciliati alla fede con pene pecuniarie, corporali e di detenzione più o meno gravi. È ancor oggi facile, parlando di cose della religione cattolica con un contadino, con uno zolfataro, ed anche con un *galantuomo*, isolare come proposizioni luterane certi loro giudizi sui sacramenti, sulla salvazione dell'anima, sul ministero sacerdotale; senza dire dei giudizi sugli interessi temporali e sul mondano comportamento dei preti. Ma effettualmente tali giudizi non si possono nemmeno vagamente considerare come proposizioni eretiche; sono, in rapporto alla religione, qualcosa di più e di peggio: muovono da una totale ed assoluta refrattarietà alla metafisica, al mistero, all'invisibile rivelazione; dall'antico materialismo del popolo siciliano.

Nei riguardi della confessione, per esempio, non c'era bisogno di Lutero per suscitare la diffidenza e repugnanza del siciliano: sempre questo sacramento è stato considerato come una escogitazione, per così dire, boccaccesca; un modo escogitato da una categoria socialmente privilegiata, cioè quella dei preti, per godere di libertà sessuale sul terreno altrui, e nell'atto stesso di censurare una tal libertà nei non privilegiati; ché il privilegio, per il siciliano, consiste, più che nella libertà di godere certe cose, nel gusto di vietarle agli altri. E lo stesso celibato dei preti finiva con l'apparire come una specie di astuzia, di frode: per non scendere ad armi pari sull'infido terreno dove le donne dispongono dell'onore degli uomini, per assicurarsi invulnerabilità. E da questa convinzione discendeva il veto che i mariti, i padri, i fratelli ponevano alle loro donne relativamente alla confessione. In quanto al confessarsi essi stessi, non ritenevano fosse cosa da uomini il confessare ad un altro uomo i loro sentimenti, le loro debolezze, le loro occulte azioni e intenzioni; né che un uomo come loro fosse investito da Dio del potere di rimetter loro i peccati; né che i peccati esistano davvero. La sola nozione che l'uomo siciliano ha del peccato, si può considerare condensata in questo proverbio: *Cu havi la cummidità e nun si nni servi, mancu lu confissuri cci l'assorvi;* che è appunto l'ironico rovesciamento non solo del sacramento della confessione ma del principio fondamentale del cristianesimo:

33

non sarà assolto dal confessore colui che non saprà profittare di ogni comodità ed occasione che gli si offre, della roba altrui e della donna altrui in particolare. Ed è da questo atteggiamento nei riguardi dell'altrui, che sorge quel senso di precarietà e insicurezza nei riguardi del proprio: quell'acuta e sospettosa vigilanza, quell'ansietà dolorosa, quella tragica apprensione di cui la donna e la roba sono circondate e che costituiscono una forma di religiosità se non di religione.

E aveva capito (glielo avevano fatto capire, per essere esatti) che la confessione era il punto debole dei siciliani il sullodato inquisitore Juan Bezerra de La Quadra:

Alcune persone della diocesi, desiderose del servizio di Dio, Signor nostro, ci han fatto istanza perché ordinassimo ai parroci delle varie parrocchie di fare la lista di tutti coloro che si confessano e comunicano, onde sapere chi trascura un tal dovere, e son molti...[16]

Ma certamente questa disposizione non trovò rigorosa applicazione: poiché erano davvero molti, abbiamo ragione di credere, gli evasori di un così essenziale dovere.

Era facile dunque formulare accuse di luteranesimo, e a carico di chiunque: senza tener conto e della fondamentale indifferenza dei siciliani verso la religione e di un elemento che sarebbe stato decisivo per il rifiuto del luteranesimo vero e proprio: cioè, per dirla con espressione verghiana, la *guerra dei santi*;

che era il solo elemento del cattolicesimo che suscitasse congeniale affezione nel popolo siciliano, e per motivi assolutamente non cristiani.

Non escludiamo, naturalmente, che ci siano stati in Sicilia, e specialmente nella Sicilia orientale, individui o piccoli gruppi che effettivamente partecipassero delle idee luterane e calviniste; ma non pare si possa ragionevolmente giudicare di una diffusione di fermenti riformistici dai casi di Messina, di Mandanici, di Noto.[17] E crediamo di poter estendere, e a maggior ragione, alla Sicilia quel che Américo Castro dice della Spagna in rapporto all'Inquisizione:

La stessa esistenza di un Tribunale tanto sciocco, tutt'altro che santo, fu possibile perché mancò ogni forza mentale intorno ad esso. Non ci fu in realtà nessuna eresia da combattere...[18]

O c'era da combattere, in Sicilia, l'irreligiosità di tutto un popolo: ma a questo compito mancava davvero al Sant'Uffizio, oltre alla santità, l'intelligenza.

A Racalmuto, fino a pochi anni addietro, un punto della piazza Francesco Crispi era denominato *lu cuddaru*, il collare: memoria di uno strumento largamente usato dal Sant'Uffizio a pena dei bestemmiatori comuni, dei bestemmiatori non eretici. Nello stesso luogo, probabilmente, aveva sede il commissariato dell'Inquisizione.

Era il collare, spiega il Pitré, un *arnese di ferro che si apriva e chiudeva con apposito congegno in tutto e per tutto simile a quello dei cani*, attaccato al muro o ad un palo. Nudo dalla cintola in su, e convenientemente unto di miele, il bestemmiatore veniale vi restava esposto per qualche ora; per non più di tre ore, stando a questi versi raccolti dal Guastella nel circondario di Modica:

> *'Nfami, ca fusti misu a lu cuddaru,*
> *manciatu di li muschi pi tri uri*[19]

che, lanciati come insulto, è logico presumere rinfaccino all'*infame* (che in questo caso vale, rara accezione, svergognato e non spia) il massimo della pena. E si noti come una pena in cui chiunque poteva inciampare venga a conferire infamia a chi l'ha subita; così come il sambenito, di cui effettivamente tutto il popolo siciliano poteva essere condannato a vestirsi.

La privativa del collare era del Sant'Uffizio: ma è probabile ne usasse anche la corte vicariale, che era una specie di polizia del buon costume, attivissima nei paesi. Si occupava del meretricio, dell'adulterio, del concubinato, della inosservanza del digiuno e dell'astinenza, del giuoco, degli amoreggiamenti giovanili, della bestemmia. Ne era capo il padre vicario ed era composta da un giudice ecclesiastico, un mastro notaro, un procuratore fiscale; dagli erari, che avevano una funzione che stava tra quella della guardia e quella dell'ufficiale giudiziario; e dai servienti, che erano gli esecutori delle pene corporali inflitte dalla corte. Di notte andava in giro, a sorprendere i peccatori nelle taverne, nei fondachi, nelle case private, una numerosa ronda vicariale (ché non era infrequente qualche agguato, da parte degli irritati peccatori, con relative botte: e qualche volta ci scappava il morto): e spesso la capeggiava lo stesso padre vicario.

Qualche curioso esempio dell'attività vicariale si trova nel libro *La Sicilia feudale* di Alessandro Italia;[20] come questo, di una coppia non legittima sorpresa, per di più, nella inosservanza di una vigilia:

Maestro Paulo, figlio mio, in cambio di confessarti et comunicarti domattina ch'è il giorno e festa tanto solenne del SS. Sacramento et tu stai così sfacciatamente cum la bagaxia intra la casa, non

*vedi che nostro Signore per li nostri peccati ni ha
levato li vigni cum li granduli; et maestro Paulo
risposi: Padre vicario non è gran cosa trovarmi
con una donna, è usanza d'uomini.*

Il seguito, per maestro Paolo Vianisi, della
terra di Palazzolo, è un po' meno allegro, si
capisce: ma le due battute che abbiamo riportato fanno esilarante mimo.

Al livello di questo mimo è, secondo la tradizione locale, la vita del pittore Pietro d'Asaro: nato a Racalmuto nel 1591, morto nel
1647. Pittore che, per il seicento siciliano,
non ci si può permettere il lusso di ignorare:
e di lui restano grandi quadri d'altare in Racalmuto e in tanti altri paesi della Sicilia (ma
il meglio conservato dovrebbe trovarsi nella
Galleria nazionale di Palermo: una Natività
firmata *Monocolus Racalmutensis*; ché essendo
orbo di un occhio, e chiamato *l'orbo di Racalmuto*, così usava a volte firmare). Uomo che
amava la taverna e le donne, sempre squat-
trinato, sempre in fuga dai creditori; ma abbiamo il sospetto, per certe carte fuggevol-
mente scorse nell'Archivio di Stato di Palermo, che sia stato familiare del Sant'Uffizio: e
questo allora era il modo migliore per fron-
teggiare i creditori, trascinandoli a muover
causa presso un foro privilegiato.

Coetaneo del d'Asaro (nato a Racalmuto nel
1590, morto a Palermo nel 1662) era il grande medico Marco Antonio Alaimo: cui il suo
tempo diede lode per aver concorso, con
forze e mezzi umani, alla divina opera com-

piuta da santa Rosalia a salvazione di Palermo dalla peste, nel 1624. Nella quale epidemia morirono, secondo i calcoli del Maggiore-Perni,[21] 9811 persone nella sola Palermo: ed è evidente, dal confronto con gli effetti di altre pestilenze, che l'Alaimo fece quanto sapeva e poteva; ma non così santa Rosalia: e furono anzi i pellegrinaggi e le processioni in suo onore a far salire gli indici di mortalità.

Ma qui noi ricordiamo questi due uomini, il d'Asaro e l'Alaimo, per dire come in un paese remoto e chiuso entrasse, nei primi del secolo XVII, il soffio di una vita nuova. Un pittore, un uomo di scienza. E la presenza di un uomo come Pietro d'Asaro, che era stato a Roma e a Genova, che aveva viaggiato e viaggiava per la Sicilia, spregiudicato e donnaiuolo, amante della buona tavola, beffardo ed arguto, sarà stata nel paese scandalo e insieme esempio di libertà. Senza dire di quella libertà, di quella nuova dimensione dell'umano, che l'artista veniva dispiegando, nelle chiese e nei conventi, sulle tele; e, secondo la leggenda, sulle pareti dei fondachi e sui piatti delle taverne.

Di chiese e conventi a Racalmuto ce n'erano in abbondanza: e a Pietro d'Asaro non mancava il da fare, in esecuzione di devote promissioni di *borgesi* e di legati testamentari di preti e usurai. Lasciando da parte le chiese, ecco un sommario elenco dei conventi: dei benedettini, dei carmelitani, dei minori osservanti, dei francescani conventuali, delle clarisse, dei riformati di sant'Agostino. In quest'ultimo, esattamente denominato degli agostiniani di sant'Adriano o della riforma centuripina, entrò (giovanissimo, è da presumere) Diego La Matina: non sappiamo se per circostanze familiari o per calcolo o per vocazione.

L'ordine degli agostiniani di sant'Adriano fu fondato nel 1579 da Andrea Guasto da Castrogiovanni: il quale, stabilita coi primi compagni la professione della regola nella chiesa catanese di Sant'Agostino, si trasferì in Centuripe, in luogo *quasi allora deserto, e fabbricate anguste celle, pose i rudimenti di vita eremitica, e propagolla in progresso per la Sicilia*: notizia che dobbiamo a Vito Amico,[22] e non trova riscontro nelle enciclopedie cattoliche ed ecclesiastiche che abbiamo consultato. Lo stesso Vito Amico dice che il convento di Racalmuto fu dal *pio monaco* Evodio Poliziense promosso e dal conte Girolamo del Carretto dotato nel 1628. Evidente errore: ché nel 1628 il conte Girolamo era morto da sei anni. Più esatto è il Pirro: *S. Iuliani Agustiniani Reformati de S. Adriano ab an. 1614, rem promovente Hieronymo Comite, opera F. Fuodij Polistensis.*[23]

In quanto al *pio monaco* Evodio Poliziense o Fuodio Polistense, si tratta senza dubbio alcuno di quel priore cui dalla leggenda popolare è attribuito il mandato per l'assassinio del conte Girolamo. Infatti il Tinebra Martorana, che non si era preoccupato di consultare in proposito i testi del Pirro e dell'Amico, cade in equivoco quando dice che *al priore di questo convento la tradizione serba il nome di frate Odio, riferendosi con ogni probabilità all'azione da lui commessa.*[24] Era semplicemente il nome, piuttosto peregrino, di Evodio o Fuodio che nel corso del tempo si era mutato in Odio.

Nel 1923 il « Giornale di Sicilia » pubblicava a puntate un romanzo appunto intitolato *Fra Diego La Matina*.[25] Ne era autore, con lo pseudonimo di William Galt, il professor Luigi Natoli: uomo di vasta cultura e minuziosa erudizione relativamente alla storia della Sicilia e inesauribile scrittore (con pseudonimo) di romanzi « storici ». Come altri suoi romanzi (*I Beati Paoli, Coriolano della Floresta, Calvello il bastardo*: per ricordare i più famosi), prima pubblicati dallo stesso giornale e poi in dispense e in volumi diffusi in Sicilia e negli Stati Uniti, anche questo su fra Diego ebbe enorme seguito di lettori, e a Racalmuto in modo particolare. Per cui quel che della leggenda di fra Diego nel paese ancora durava, subì irrimediabile contaminazione: non soltanto presso le persone di mezza cultura o comunque in condizione di leggere, ma anche presso gli analfabeti; ché mancando allora il cinema e la radio, nelle botteghe degli artigiani, come durante il lavoro nella zolfara e nella campagna, c'era sempre qualcuno che sapeva « portare i racconti ».

Il romanzo è tutto un intruglio di avvenimenti e personaggi storici disparati, che altro legame tra loro non hanno, in realtà, che quello di essere compresi nell'arco di tempo

43

che va dal 1641 al 1658: e le invenzioni, piuttosto granguignolesche, vengono fuori una dall'altra come scatole cinesi. Fra Diego, novizio agostiniano e nipote di un agostiniano che finisce sul rogo dell'Inquisizione, dedica la sua vita alla protezione di una giovane, frutto di un giovanile e tempestoso amore dello zio. La quale giovane, sfuggendo alla spietata vigilanza di un prete tutore, con amore si era data, e ne aveva avuto un figlio, a un giovane guantaio francese: quel Giovan Battista Vernon che realmente, condannato come alchimista, fu bruciato vivo nell'Atto di Fede che si celebrò in Palermo il 9 settembre del 1641. Contro il prete tutore, dopo la tragica fine dello zio e di Vernon, fra Diego lotta con tutta la sua astuzia e la sua forza. E non da solo: ché gli sono accanto, nella lotta contro la prepotenza e l'ingiustizia, in una sorta di consorteria mafiosa, Antonino La Pelosa, Antonio del Giudice, Giuseppe d'Alesi. E non diremo del d'Alesi, alla cui rivolta si fa richiamo anche nei manuali scolastici in rapporto a quella di Masaniello; ma di Antonino La Pelosa e di Antonio del Giudice diciamo che il primo (mugnaio nella realtà, facchino nel romanzo) fu, nei primi giorni della rivolta del d'Alesi, violento capopopolo: e dall'autorità viceregia fu afforcato, dopo tremendi tormenti, mentre la rivolta era in corso e senza che nel popolo e nello stesso d'Alesi nascesse una qualche reazione in suo favore; e del secondo, giureconsulto di grande fama, che fu fiancheggiatore della rivolta

44

del '47 e tra i protagonisti di quella congiura che nel '49 costò la testa a lui e al conte Girolamo III del Carretto.[26]

Il centro della romanzesca vicenda ordita dal Natoli consiste nel fatto che l'avido ed empio prete tutore è parente dell'inquisitore de Cisneros, e dell'Inquisizione si serve per tenere in suo potere la giovane donna e il bambino; e per perseguitarli quando fra Diego riesce a sottrarglieli. E infine la giovane donna muore, ma il bambino, a prezzo della vita del suo protettore, si salva.

Fra Diego non è dunque, nel romanzo, un eretico: è soltanto un puro di cuore che lotta per affrancare una donna e un bambino, cui è legato da vincoli di sangue e di affetto, dalla schiavitù tutoria. Ma dal caso particolare, privato, egli in qualche modo perviene a una più lata visione delle cose: a un sentimento di avversione contro il dominio spagnolo di cui l'Inquisizione è un portato, alla coscienza che la rivolta del popolo è giusta e necessaria. Ed è questa la più viva intuizione che il Natoli abbia avuto relativamente al personaggio: solo che è nascosta da un romanzesco ciarpame, devastata dalla gratuità dell'intrigo. Il romanziere William Galt era il grande nemico dello storico Luigi Natoli: e gli trasse di mano personaggi e vicende della storia siciliana di cui noi, per quanto sappiamo e possiamo, andiamo tentando una specie di recupero (e non esitiamo, qui, a confessare il nostro debito verso William Galt: personaggi come Francesco Paolo di Blasi e fra Diego La

Matina è dalla lontana lettura dei suoi romanzi che suggestivamente ci seguono).

Oggi, a Racalmuto, se chiedete di fra Diego La Matina (e nel territorio esiste una contrada così, anche in catasto, denominata; e nella contrada una grotta detta di fra Diego), i più vi raccontano la vicenda del romanzo: come cosa vera, come cosa realmente accaduta in lontani tempi; senza sapere che si tratta di un romanzo o, sapendolo, senza il minimo dubbio che una cosa scritta, specie se in rapporto al passato, alla storia, possa essere non vera ma immaginata. Tuttavia, nella memoria di qualcuno, sopravvive la leggenda preesistente alla popolaresca invenzione del Natoli; e siamo riusciti a restaurarla in questi termini.

Diego La Matina aveva una giovane sorella, molto bella. Insidiava la ragazza un uomo di fiducia del conte del Carretto, una specie di sovraintendente della contea, del feudo. Tornando una sera a casa, Diego (che viveva da romito, solo di tanto in tanto riaffacciandosi in famiglia) trova i suoi prostrati nella vergogna e nel dolore: la ragazza era stata oltraggiata o addirittura rapita da quell'uomo potente. Diego non dice parola: ma l'indomani, appena l'alba fa occhio, esce di casa armato di scoppetta. Si usava allora, al primo albeggiare, celebrare nella Matrice una messa per i villani: e vi assisteva l'uomo di fiducia del conte, che a messa finita smistava il branco dei villani per i lavori della giornata. Diego sparò mentre si celebrava la messa: e l'uo-

46

mo che gli aveva disonorato la sorella e la casa cadde. Compiuta la vendetta, non gli restava che darsi definitivamente alla campagna, non più da romito ma da brigante: e il frutto delle rapine ammassò nei recessi della grotta che porta il suo nome; e ancora vi si trova, il tesoro, poiché nessuno ha avuto finora l'ardimento di addentrarvisi.

È evidente che questa leggenda non è che l'adattamento di altre brigantesche leggende. Ma c'è un elemento di particolarità e di autenticità che ci dà a pensare: la messa, all'alba, per i villani; che è la *missa cantus galli* che effettivamente nelle terre feudali si celebrava. E ci chiediamo se davvero non è accaduto un qualche drammatico incidente, da cui ha avuto capo la lunga e dolorosa vicenda di fra Diego, durante quella messa, in un giorno del 1644. Non c'è stata l'uccisione del sovraintendente della contea, né di altra persona: questo è certo. Ma Diego La Matina, diacono, in un giorno del 1644, ha commesso un reato di tal natura da provocare l'intervento della giustizia ordinaria, della polizia criminale. Arrestato, veniva successivamente rimesso al Sant'Uffizio: o dopo uno di quei frequenti conflitti di competenza tra foro laicale e foro privilegiato, che spesso finivano con la vittoria di quest'ultimo; o attraverso un pacifico riconoscimento di incompetenza da parte della giustizia ordinaria. Doveva, in ogni caso, trattarsi di un reato in cui la corte laicale, immediatamente almeno, si riteneva in diritto d'intervenire, nonostante il diaconato del soggetto; e d'altra parte questo reato doveva esser tale che la corte laicale, spontaneamente o a richiesta del Sant'Uffizio, e comunque senza irrigidirsi nella propria competenza, sollecitamente si persuadesse a consegnare il colpevole.

La confusione delle giurisdizioni era allora enorme; ma non al punto cui la porta il Matranga, quando riferisce che fra Diego, prima che *nelle mani del Tribunale inciampato fosse, stato era come fuoriuscito, e scorridore di campagna, in abito secolaresco, dalla Corte laicale fatto prigione: fu la prima volta di se stesso spontaneo accusatore; ma si sospettò, che stata fosse finta la penitenza, sì come fu vera la confessione: imperoché in cambio d'emendarsi, tornò egli ad imbrattarsi di delitti peggiori.*

Il quesito che vien fuori da questo passo del Matranga, quesito che noi sottoponiamo agli storici, e agli storici delle legislazioni, è questo: se nell'anno 1644, in Sicilia, un individuo pervenuto al secondo degli ordini maggiori ma dedito a scorrere le campagne in abito secolaresco, dedito cioè ai furti e alle grassazioni, potesse invocare, una volta catturato dalla giustizia ordinaria, il foro del Sant'Uffizio; o dalla giustizia ordinaria essere rimesso al Sant'Uffizio come a foro a lui competente; o dal Sant'Uffizio, per uguale considerazione, essere sottratto alla giustizia ordinaria. Per conto nostro (ma da sprovveduti) rispondiamo di no: a meno che nel suo reato non si ravvisasse una sorta di bivalenza, che non fosse tale cioè da interessare, con uguale legittimità, le due giurisdizioni. Ma andiamo con ordine.

Il Sant'Uffizio agiva generalmente contro *cinque sorti di persone*: gli eretici e i sospetti di eresia, i fautori loro, i maghi e le fattucchiere, i bestemmiatori, gli oppositori di esso Sant'Uffizio e dei suoi ufficiali; e straordinariamente (ma con tragica frequenza) contro giudei, maomettani e infedeli d'altre sette. In quanto ai bigami, assiduamente perseguiti, c'è da ritenere rientrassero nella categoria dei bestemmiatori: e venivano indifferentemente giudicati dalla Inquisizione o dalla corte vicariale.[27] Uno scorridore di campagna, un grassatore, poteva essere trasferito dal foro ordinario a quello dell'Inquisizione solo in un caso, crediamo: che godesse del privilegio di essere un familiare. Ma, a parte i nobili e i ricchi, i familiari erano sì delinquenti, secondo quanto scriveva Marco Antonio Colonna, ma reclutati tra *osti, tavernari, macellai, gallinari o di simile ufficio di vettovaglia*;[28] non certamente tra i religiosi. Anzi: possiamo dire di non aver riscontrato casi di familiari, che fossero preti o frati. Ma anche ammettendo che fra Diego fosse stato un familiare, resta da spiegare quale abiura si può mai chiedere a un comune criminale, a uno scorridore di campagna. D'altra parte sappiamo che il Sant'Uffizio, processando per reati comuni i propri familiari, erogava pene piuttosto miti ma non dissimili da quelle della giustizia ordinaria: e se fra Diego fosse stato giudicato per un reato non d'ere-

sia, avrebbe avuto una pena, sia pure mini-
ma, di reclusione o pecuniaria o di desterro
(di esilio, di trasferimento). Invece è bastata
l'abiura ad ottenergli il perdono: *si presentò ed
abiurò in forma, e fu assoluto*, come conferma il
dottor Auria.

La sola ipotesi sensata che si può avanzare,
resta dunque quella del reato bivalente:
un'azione che fosse stata al tempo stesso eresia e contravvenzione alle leggi ordinarie.
Per esempio: un'idea od opinione contro la
proprietà o contro certe forme della proprietà. O, per non prenderla troppo alta, e
considerando la politicità dell'Inquisizione e
la sua funzione addirittura poliziesca nei domini spagnoli (ed anche in Spagna), un'opinione o protesta contro la pressione fiscale in
quel momento esercitata con particolare ferocia sul popolo siciliano: ché non bisogna
dimenticare che siamo già nell'atmosfera da
cui scatterà la rivolta del d'Alesi.

Alla luce di questa ipotesi si può anche far
credito al Matranga di una certa buona fede:
nella cui mente e nella cui concezione della
società la differenza tra il « ladro di passo » e
l'uomo che leva protesta contro la proprietà
feudale o contro le gabelle o contro le decime
doveva essere invisibile (e del resto abbiamo
ancora oggi galantuomini che non fanno di-
stinzione alcuna tra un comunista e un « ladro di passo »).

Per scrupolo, per non trascurar niente, vo-
gliamo aggiungere che può darsi ci sia un
fondo di verità, e nella leggenda popolare

che abbiamo trascritta, e nella romanzesca invenzione del Natoli: ma un fondo piuttosto remoto e vago e improbabile, e vien fuori da un documento che si trova nell'Archivio della Curia vescovile di Agrigento. Da tale documento si rileva che il 6 novembre del 1643 il vescovo di Girgenti ordinava, presumibilmente ad un magistrato della Curia vescovile, di recarsi nella terra di Racalmuto per scomunicare (*servatis servandis*), arrestare, tradurre a Girgenti con ogni precauzione, don Federico La Matina; e al tempo stesso assumere su costui ogni possibile informazione, e inventariare e sequestrare i suoi beni. Ove i testimoni a carico non vogliano deporre o si mostrino reticenti, dice il vescovo, *provedireti a carceratione a disterro, et ad altri rimedij a voi ben visti*, previa scomunica e sequestro dei beni; e così raccomanda di agire anche contro *li disturbanti il vostro offitio: per quanto la grazia di Monsignore Illustrissimo tenete cara.*[29]

Tanto furore da parte del vescovo, pare sia stato mosso da una denuncia del vicario di Racalmuto; ma di quale colpa si fosse macchiato don Federico La Matina, non sappiamo. Soltanto siamo riusciti ad accertare che era un prete: e lo ritroviamo quindici anni dopo, il 10 aprile del 1658, a confessare una suor Maria Maddalena Camalleri;[30] il che vuol dire che era stato pienamente reintegrato nel suo ministero, dopo aver chiarito il suo caso o scontata una pena. E può darsi ci sia un qualche rapporto tra il suo caso e quello, che esploderà poco più tardi, di fra Diego: e che quindi la vicenda di costui abbia avuto origine, come vuole la leggenda e come immagina il Natoli, da una vicissitudine familiare (ma il Natoli non sapeva di questo documento: ché avrebbe chiamato Federico, invece che Gerlando, lo zio agostiniano). Curioso è comunque il fatto che due uomini dello stesso nome, nello stesso paese, entrambi religiosi, si siano trovati a distanza di pochi mesi impigliati in così gravi vicende.

Assolto e liberato nello stesso anno in cui era stato arrestato per la prima volta, fra Diego molto probabilmente tornò a Racalmuto: dove, indubbiamente, c'era qualcuno che, come era stato spiacevolmente sorpreso a vederlo tornare assolto, con quella fermezza con cui nei nostri paesi si mantiene l'odio e si persegue la vendetta, fece proposito di riportarlo davanti al tribunale dell'Inquisizione. O era, più che dall'odio e dalla vendetta, il proposito mosso dalla paura, di classe e poliziesca, che è tipica di coloro che per interesse e per mestiere difendono le istituzioni, con tanto più furore e ferocia quanto più sono ingiuste ed abiette.

Fatto sta che l'anno successivo, 1645, fra Diego è di nuovo davanti al sacro tribunale. Ancora una volta pronuncia formale abiura, ancora una volta è assolto. Tanta clemenza, da parte di un tribunale più noto per l'atroce severità dei suoi giudizi che per la sua indulgenza, è sorprendente: quasi si è portati a credere al Matranga, che fra Diego fosse cioè un ladro e non un uomo di idee.

Ma in effetti l'indulgenza dell'Inquisizione dà conferma alla nostra ipotesi: che l'eresia di fra Diego fosse più sociale che teologica, fondata su proposizioni evangeliche la cui esegesi doveva allora apparire pericolosa e sovvertitrice ma difficilmente controvertibile, difficilmente condannabile. Dopotutto, nel tribunale del Sant'Uffizio c'erano dei qualificatori e dei consultori, per dottrina capaci di valutare con esattezza l'ortodossia o l'errore; e qualcuno di loro doveva pur credere in Dio, doveva pur avere un sentimento del messaggio evangelico. Insomma: può essere spiegazione della clemenza del tribunale la novità dell'errore di fra Diego, la difficoltà a qualificarlo, l'esitazione a condannarlo decisamente e duramente. Gli si domandava soltanto l'abiura: e fra Diego *usciva allo spettacolo*, la pronunciava; e se ne ritornava al convento. Questo, per due volte. Ma la terza volta, nel 1646, il tribunale volle punire l'ostinazione se non l'eresia: e fra Diego si ebbe cinque anni di galera.

Non furono bastevoli a farlo buono, ed a domarlo i disagi, ed i tormenti della Galera, dice il Matranga: e nel 1647 viene richiamato davanti al tribunale. E l'Auria:

Nel 1647 si presentò ed accusò di molti errori e di aversi dato al demonio con una polisa; ed essendogli cercate le sacchette ed il petto, li fu trovato un libro scritto di sua mano con molti spropositi ereticali, ma senza discorso e pieno di mille ignoranze. Onde a 12 di gennaro 1648 uscì allo spettacolo la seconda volta assoluto, e tornò in galera.

Occorre avvertire che espressioni come *si presentò, si accusò*, sono nell'Auria puri eufemismi: e valgono, per chi appena conosce il procedere del sacro tribunale, rispettivamente *fu arrestato e tradotto in giudizio* e *confessò in tortura*; e indubbiamente denuncia il tormento subìto la confessione di essersi dato al diavolo con una polisa, cioè con un piccolo biglietto-contratto. In quanto al manoscritto che gli trovarono in saccoccia, l'Auria probabilmente ne parla per sentito dire: e anche l'avesse letto, ugualmente non potremmo far conto del suo giudizio. Più accorto, più coerente, il Matranga del manoscritto non fa parola: ché sarebbe apparso strano il fatto che un « ladro di passo » avesse scritto un libro.

Quali che siano state le eresie contenute nello scritto, la confessione dei rapporti col demonio salvò fra Diego dalla morte: fece la pubblica abiura e, assolto, fu rimandato al remo. (Sulle volte che fra Diego si ebbe l'assoluzione, abbiamo il sospetto che il conto dell'Auria non torni: tecnicamente, fino a questo momento, e secondo la procedura del Sant'Uffizio, crediamo che fra Diego sia stato assolto per quattro volte, anche se per una volta l'assoluzione ha comportato una pena detentiva; in analogia, o per meglio dire in identità, all'assoluzione che dà il prete dopo che gli si è resa confessione dei peccati: assoluzione che non esclude la penitenza e anzi la comprende). Ma

A 7 d'agosto 1649 sedusse alcuni forzati di galera nelli soi errori; onde fu portato di nuovo al tribu-

*nale, dove detestò li soi errori e spropositi; ed uscì
la terza volta allo spettacolo nell'anno 1650, condannato e recluso murato in perpetuo in una
stanza...*

Ora, a meno che il dottor Auria non scriva
senza discorso, il passo è da intendere in questo senso: che il 7 agosto del 1649 su una
galera o in qualche porto si manifestò un
ammutinamento o una qualche forma di se-
dizione, di protesta, diretta o soltanto provo-
cata da fra Diego. Se il diarista non muovesse
da una data precisa, potremmo pensare che
ad un certo momento si fossero accorti della
perniciosa opera di persuasione, di proselitismo, che fra Diego veniva svolgendo tra i
forzati: e perciò lo avessero rimandato al
Sant'Uffizio che naturalmente, scoprendolo
recidivo, riaprì processo a suo carico. Ma la
data sembra riferirsi ad un fatto di cui fra
Diego e alcuni forzati furono protagonisti,
ad un effetto dell'eresia che fra Diego conti-
nuava a professare e a propagare.[31] *Sedusse
alcuni forzati nelli soi errori*. E dovevano essere
errori di un certo fascino: sui poveri di Racalmuto, sui disperati delle galere. Non manca infatti il Matranga di precisare che non
solo fra Diego fu eretico ma dommatista,
cioè propagatore *delli soi errori*; e la stessa
colpa gli attribuisce il Franchina, che circa un
secolo dopo, da inquisitore, scrive una breve
storia dell'Inquisizione in Sicilia.
A ventotto anni, fra Diego si trovò dunque
condannato a una pena senza speranza. Ma il

suo spirito era indomabilmente sostenuto da una complessione gigantesca, da una forza fisica enorme. E per averne un'idea non c'è che da guardare lo Steri, allora, come già sappiamo, sede del Sant'Uffizio anche per le prigioni. Era, per i Chiaramonte che l'avevano fatto costruire, un palazzo-fortezza dentro la città: non meno massiccio del loro castello di Racalmuto, di tutti quei loro castelli disseminati un po' dovunque in Sicilia, a vigilanza e difesa sui paesi che gli si ammucchiavano ai piedi. E dallo Steri fra Diego evase nel 1656: *aprì con meraviglia di chi vide il loco, ed il fatto udì, delle segrete Carceri fortissimo muro* (Matranga) *e fuggì con il laccio della tortura, quale trovò in certo luogo* (Auria).

Certamente si rifugiò nella campagna di Racalmuto: nella contrada e nella grotta che portano ancora oggi il suo nome. Una grotta la cui bocca si apre su una parete rocciosa difficilmente scalabile: e sembra assicuri imprendibile posizione. Ma l'enorme roccia in cui si apre sorge isolata nella campagna, per cui ad un uomo assediato in essa è difficile uscirne, fuggire. E per pochi giorni infatti, secondo l'Auria, durò la libertà di fra Diego.

Tra l'evasione e la cattura, fra Diego, dice il Matranga, *vagò con empia intenzione di farsi strada col sangue altrui*. E pensiamo anche noi che si fosse dato a scorrere la campagna intorno al suo rifugio, poiché altra risorsa non gli restava: ma è certo che non ammazzò nessuno, tanto vero che il Matranga è costretto a fargliene carico, ineffabilmente, nell'intenzione. A meno che *sangue altrui* non valga, metafora non inconsueta in Sicilia, *roba altrui*.

Riportato prigione maggiormente inviperissi. Contro a Ministri del S.U. visse di continuo rabbioso, di continuo maledico, e detrattore. E forse cade in questo periodo, subito dopo la cattura, il suo tentativo di uccidere l'inquisitore monsignor Cottoner: *e l'avrebbe fatto, se quello non s'avesse difeso*, dice l'Auria. Il quale pone questo episodio prima dell'evasione: ma a noi pare sia da collocare dopo, secondo ci lascia intravedere il Matranga quando dice che riportato in prigione cominciò a prendersela contro i ministri del Sant'Uffizio. In quanto alla difesa che monsignor Cottoner, già con tutti e due i piedi nella tomba, poteva opporre a fra Diego, si può immaginare soltanto una disperata invocazione di aiuto e un sollecito intervento degli aguzzini: che certo non erano lontani se, com'è naturale credere, gli incontri di fra Diego con gli inquisitori avvenivano nella camera dei tormenti.

Il più vivo documento di questi incontri, di queste visite di carità secondo l'Auria, di beneficio secondo il Matranga, lo ha pubblicato il Garufi:[32] un processo di *magaria* a carico di una certa Pellegrina Vitello, tratto dall'archivio spagnolo di Simancas (ma oggi le carte dell'Inquisizione sono nell'Archivio di Madrid). Tanto vive, e tremende, sono le pagine di questo processo, che il Garufi ne attribuisce la stesura ad Argisto Giuffredi, allora segretario del Sant'Uffizio.

Et fo mandato chi fusse espullata et atacata a la corda, et espullata chi ffo fo tornata a monire.
Dixit: eccomi qua non sacho che dire.
Et comandaro chi si atacassi, et foro atacati li travi per li ministri, gangendo dissi: si sapisse lo dirria.
Et sua S.a lamonia chi dichesse la veritati.
Et ipsa non respusi, ma si lamentaba.
Et atacandola dichia: ayme, ayme, ha Spiritu Santo mio, ayutami chi non ayo fato nienti, oy Spiritu Santo como non ayo fato nienti, ayutami!
Et tocandoli la corda estaba dichendo: Spiritu Santo mio, ayutami, chi non ayo fato nienti!
Et iterum monita sua S.a R.ma, la dichissi la veritati.
Dixit: S.r may lo mundo lo fichi.
Et como la aissaro sopra terra, sudaba et dichia: S.r chi non sacho nienti et li tradituri mi hanno acusato a torto; ayutatimi, cristiani, ay S.r mi la dati a torto.

Et apposita tabula in pedibus.
Dixit: chi volite, S.r, chi lo dica a forza? Santa
Catharina, ha Spiritu Santo!; repetendu Spiritu
Santo ey S.r como la date a torto. Et spiandoli si
habia estato mai marturiata, dixit: che non; et
pendia di la corda.
Et pendens tacebat.
Iterum pendens tacet.
Interrogata: Si vole dire la veritati.
Dixit: S.i chi mi dico non lo sacho.
Et pendens tacet.
Dichendoli chi dichissi il vero.
Dixit: oy S.i, chi si sapisse lo dirria.
Dixit pendens: ha!
Et parlando sempre intra ipsa.
Monita chi dica il vero.
Dixit: S.i, non sacho chi diri, non potza vidiri
morto a V.S.
Et monita dica la veritati.
Dixit nihil.
Monita iterum, fu tirata suso.
Et como fu suso, monita.
Dixit: non sacho nienti.
Et fu lassata calare.
Et calata, monita.
Dixit: non sacho.
Iterum lebata suso et monita iterum.
Dixit: non sacho nienti...

E così continua: impassibile registrazione di
un atroce momento che per migliaia e migliaia di volte si sarà ripetuto nella storia
dell'Inquisizione, nella storia dei popoli che
l'hanno subita. E che un simile documento

sia stato steso da uno scrittore come il Giuffredi, non crediamo; ci pare anzi giusta l'attribuzione ad uno scriba spagnolo che in prima ne diede lo stesso Garufi: uno scriba degno di stare accanto a don Bartolomeo Sebastian, dei cui meriti il Garufi ampiamente discorre: vescovo di Patti, inquisitore di Sicilia in quel 1555 in cui la povera Pellegrina Vitello, addì 7 di maggio, veniva straziata dai tratti di corda.

Tuttavia, c'è un punto del verbale che in parte abbiamo trascritto in cui un'espressione della vittima si colora, per noi, di dolorosa ironia: quando, per giurare la propria innocenza, dice *che io non possa vedere morto Vostra Signoria*. Curioso giuramento: e poiché don Bartolomeo Sebastian credeva alle magarie, ai malocchi, alle jettature, certo si sarà dato a squadrare scongiuri. Ma Pellegrina Vitello, per la semplicità della sua mente e dei suoi sentimenti, e poi in quel momento, certamente pronunciò senza malizia quel giuramento, ma nel suo inconscio doveva essere ben vivo il desiderio di veder morto, al piede della macchina che la tirava suso e la dislogava, il vescovo di Patti.

E che fra Diego abbia ucciso monsignor de Cisneros in una situazione uguale, a noi pare certo; e così ritiene anche il canonico Gioacchino Di Marzo, editore del diario di Vincenzo Auria:

Rivela intanto le enormezze dell'Inquisizione il disperato furore di fra Diego La Matina, che in-

frange le manette di ferro e uccide con esse il carnefice inquisitore...[33]

E più oltre, in nota al passo dell'Auria relativo alla morte del de Cisneros, chiama fra Diego *intrepido uccisore del Cisneros.* (E se si considera che nel 1911 il canonico Salvatore di Pietro scriveva, con imprimatur, proprio a proposito di fra Diego: *Qual meraviglia, che mostro così ributtante di natura venga condannato all'estremo supplizio?... Qual meraviglia potrebbe fare inarcare le ciglia ai moderni critici increduli contro l'azione benefica, che il Sant'Uffizio esercitava a vantaggio del consorzio sociale?;*[34] se si considera che, oggi, l'attacco del cardinale Frings al Sant'Uffizio ha suscitato in Concilio marcate reazioni, non si può non dire: sia gloria a lui, all'intrepido canonico Di Marzo, a questo infaticabile e illuminato studioso della storia siciliana).

Del resto lo stesso Matranga, pur affermando che fra Diego uccise l'inquisitore *in mentre che a suo beneficio era visitato,* ci lascia intravedere da quali sofferenze scattò il gesto omicida quando dice che *le molestie del remo, i lunghi digiuni, le penitenze salutari, le dolorose torture, i ceppi, le manette, le catene, sofficienti ad ammollire il ferro, non poterono di questo ribaldo l'animo piegare alquanto;* e che *non una sola volta tentò di dar morte a se stesso, poco curante dell'eterno suplicio, con l'astinenza del cibo in più giorni: ma si trovò modo di ridurlo a mangiare.*

In meno spazio d'anni due, tra il 1656 e il 1657, *con dispiacimento di tutto il Regno*, a quanto ci assicura il Matranga, passarono a miglior vita quattro reverendissimi inquisitori: monsignor Giovanni La Guardia, *soggetto di gran zelo, di molto sapere, d'integrità singolare, alle cose della fede non meno fervoroso che desto*; monsignor Marco Antonio Cottoner, *che seppe accoppiare col politico governo il cristiano*: e fra Diego non ne aveva misconosciuto le doti, se aveva tentato di fargli la pelle; monsignor Giovanni Lopez de Cisneros, *di gran bontà, di retta intenzione*, come già sappiamo; monsignor Paolo Escobar, che solo per pochi mesi riuscì a godersi la promozione, da promotor fiscale a inquisitore, cui lo avevano raccomandato *le rare sue condizioni*, la sua *piacevolezza nel comandare*.

Il Matranga riconosce che, in questa ecatombe di inquisitori, ci deve pur essere stata una divina intenzione. Non che sospetti una celeste partigianeria nei riguardi di fra Diego e degli eretici e delle fattucchiere che nelle prigioni del Sant'Uffizio attendevano le sentenze; al contrario, ritiene che le potenze infernali si fossero armate e mosse contro il santo tribunale. Ma *lo permise Dio*: e qui sta il busillis. Probabilmente, il Dio di don Girola-

mo Matranga, *delle sue cause di Fede soprain-
tendente, e direttore*, aveva destinato la celebra-
zione dell'Atto di Fede all'illustrissimo don
Luigi Alfonso de Los Cameros, arcivescovo
di Monreale, che dall'inquisitore generale fu
chiamato ad inquisitore di Sicilia dopo la
morte del Cisneros e un po' prima della morte dell'Escobar.

Il Los Cameros aveva esperienza dell'ufficio:
ché era già stato inquisitore nel 1641 (o dal
1641), a latere, presumiamo, di don Diego
Garsia de Trasmiera, uomo che diremmo
diabolico se il suo santo' ministero non ce lo
vietasse: per il grande intuito politico, per la
sottile e spietata intelligenza; e fu suo capo-
dopera la rovina che seppe preparare a Giuseppe d'Alesi, e alla rivolta popolare dal d'A-
lesi capeggiata nel 1647.[35] Si diede dunque il
Los Cameros alacremente ad espedire il processo a fra Diego La Matina e agli altri trentuno rei; e a preparare la gran festa dell'Atto
di Fede. Ed era, quest'ultima fatica, la più
grave: anche se fruttuosa di mondane soddi-
sfazioni e di beatitudini. Ma *tutto il gran peso,
che fu grave a molti*, don Luigi de Los Cameros, ovviamente assistito e illuminato da Dio,
animosamente *da solo maneggiava*.

Il 2 di marzo del 1658 Matteo Perino, pubblico banditore della « felice » città di Palermo,
*d'ordine e comandamento dell'Illustrissimo, e Re-
verendissimo Signore Inquisitore Arcivescovo di
Monreale*, poteva finalmente annunciare a
tutti i fedeli cristiani della città che *nel dì di
Domenica, caderà a 17 del corrente Mese di Mar-*

zo, si celebra Spettacolo Generale di Fede, nel Piano della Madre Chiesa: ove tutti coloro che si troveranno presenti, guadagneranno l'Indulgenze concesse loro da Sommi Pontefici.

Cominciarono i lavori: a spese, s'intende, del fisco reale, *come la Religiosa liberalità de' Re Cattolici dispone.* Un vasto anfiteatro in legno, composto da una gradinata di nove ordini, da quattro grandi palchi sovrastanti, da un palchetto per i musici e da un altare, fu eretto nella piazza del duomo. A proscenio fu preparata, con otto panche di legno greggio, di uguale grandezza, *l'infame scena* per i rei; lo sfondo, naturalmente, nero: *per assomigliare l'oscurità delle loro menti.* Dietro ai palchi si costruirono cinque capaci camere: affinché ministri del Sant'Uffizio, capitano di giustizia e suoi famigli, il senato, le dame avessero modo di ristorarsi nel corso della lunga cerimonia. Vi si dovevano, insomma, apparecchiare le *buvettes.* Drappi di velluto pavonazzo e cremisino, di seta e d'oro; ricchi tappeti; sedie rivestite di damasco e velluto; cuscini ricamati; rami di cipresso e di mirto; vasi e candelieri d'argento furono disposti *con arte conforme alla materiale architettura.* I padri domenicani ebbero l'onore di adornare l'altare.

Il 16 di marzo al popolo fu disvelata quella meraviglia. Ma a monsignor de Los Cameros restava ancora da fare il più ingrato lavoro: quello di stabilire il ruolo delle precedenze. I qualificatori teologi avevano attaccato briga coi consultori giuristi: i primi ritenevano di dover avere vantaggio sui secondi per il fatto stesso che di un reo prima veniva qualificato l'errore teologico, e poi scendevano in campo i giuristi; ma questi, da parte loro, definivano l'Atto di Fede pubblico come un atto giudiziario. I consultori ecclesiastici contendevano coi consultori laici; e il partito dei consultori laici era a sua volta internamente agitato dal contendere tra togati, avvocati semplici, avvocati del segreto. Il nunzio del segreto si trovò a contrastare col notaro civile; e i commissari e familiari venuti dagli altri paesi della Sicilia si azzannavano tra loro. Così i parroci di Sant'Antonio, di San Giacomo alla Marina e di San Nicolò alla Kalsa. Un inferno. Ma monsignore arcivescovo, *colla singolare prudenza, e circospezione con che è solito giudicare, prontamente, o ributtò, o definì, o compose*. Non tanto prontamente, a parer nostro: ché durò, per esempio, la protesta della corte capitaniale, umiliata in sedie rivestite di damasco di color perso e non al giusto esaltata in sedie di velluto carmisino.

Come Dio volle, si arrivò alla sera del 16. Da occidente soffiava un vento gagliardo, e nubi grevi di pioggia ribollivano: ma per speciale disposizione divina, secondo il Matranga, appena fu l'ora della processione, si rasserenò il cielo. Dal palazzo del Sant'Uffizio al piano del duomo mareggiava una gran folla, soldati tedeschi armati facevano cordone per il passaggio della processione. Una gran teoria di carrozze, piene di gentildonne, aumentava la confusione.

Portava lo stendardo del Sant'Uffizio don Giovanni Ventimiglia marchese di Geraci; e i nastri carmisini che scendevano dai due lati dello stendardo erano tenuti da don Domenico Graffeo principe di Partanna, quello di destra; da don Blasco Corbino principe di Mezzoiuso, quello di sinistra: tutti e tre familiari del Sant'Uffizio, come i più dei duecento titolati che li seguivano. Appresso, i nobili della compagnia dell'Assunta, vestiti di sacco bianco con cappuccio, mantello di panno azzurro, torcia accesa in mano: un centinaio. Poi i musici, poi le due congregazioni degli orfani; e i cappuccini, i riformati della Mercé, i riformati di Sant'Agostino (cui un po' pesava la vergogna di quel loro confrate), i terziari, i minimi, quelli della Redenzione dei Cattivi, i carmelitani, gli agostiniani, gli zoccolanti, i domenicani. Mancavano i francescani: *ché la singolare prudenza, e circospezione* di monsignor arcivescovo non era riuscita ad appianare la loro antica contesa di cerimoniale coi domenicani. Uno stuolo che non finiva più: e la testa della processione era già al piano del duomo quando dalla porta del Sant'Uffizio ne usciva finalmente la coda: la croce verde del Tribunale, velata di nero, portata dal padre benedettino Giovanni Martinez, vestito di un piviale viola, e seguito dall'arcivescovo inquisitore, dal principe della Trabia, dall'alcaide delle carceri segrete, da uno stuolo di altre autorità e gentiluomini.

Giunti all'anfiteatro, la croce verde fu piantata sull'altare: vi restarono di guardia, per la notte, una trentina di frati. Il resto della processione si sciolse, mentre una parte proseguiva verso il piano di Sant'Erasmo, luogo dove già era stata eretta la catasta per il rogo. Fu piantata anche qui una croce, ma bianca, e accese quattro candele dentro coppi di vetro: ché il vento ancora durava. E anche qui restarono di guardia *alcuni fervorosi congregati*. Erano già le tre ore di notte: ognuno, *per la via più breve*, se ne tornava a casa: al cibo, al riposo, agli affetti. Ma per fra Diego cominciava una lunga notte.

E qui lasciamo che direttamente parli il Matranga:

Nel basso corridore delle carceri segrete, il perfido Reo stato era condotto; vestito coll'abito sagro della detta sua Venerabile, da lui non meritata Religione; e sopra sedia di legno ben forte, fabricata a posta, con catene, e legami di ferro, che tutte le parti gli cingevano fu egli, più tosto catenato, che fatto sedere: dalla sua indomabile volontà, che ogni ora minacciava ferite, e stragi, cotanto si temeva. Ad ore tre di notte, conforme si suole, D. Giovanni de Retan l'ultima sentenza ci notificò, e come che in breve sarebbe per essere al braccio secolare rilasciato. Se gli assegnarono, acciochè gli assistessero, da Monsignor Arcivescovo Inquisitore, il Dottor D. Francesco Vetrano Parroco di S. Nicolò la Kalsa Consultore, il P.F. Angelo da Polizzi Zoccolante Consultore, e Qualificatore, il P. Melchiore Balducci della Compagnia di Gesù Consultore, e Qualificatore; ed io altresì fui con

loro: i quali altre volte nel progresso di sua causa,
gran pezza indarno seco contrastato più tosto, che
disputato avevamo: richiamati a tentar di nuovo,
all'estremo di sua vita, la da tutti disperata conver-
sione. Vi si aggiunsero in oltre, il P. Bacilliero Fr.
Vincenzo Muta Priore di S. Domenico de' PP.
Predicatori, il P.D. Giuseppe Cicala Proposito
della Casa di S. Giuseppe Teatino, e Consultore, il
P. Placido Agitta Crocifero Consultore, e due de'
congregati della Compagnia dell'Assunta. Non si
osservò l'appuntato, che a vicenda in tutta la notte
se gli assistesse: niuno abbandonar lo volle: e ban-
dì, ogni uno, da gl'occhi il sonno, purché coll'unita
persuasione di molti, il letargo di quella mente
infernale si dileguasse. Ma però forzati dalla cor-
tese liberalità dell'Alcayde, nelle sue stanze tiratisi
da parte, nelle quali splendida, ed esquisita cola-
zione apparecchiata si era, alquanto si rinfresca-
rono.

È una delle più atroci e allucinanti scene che
l'intolleranza umana abbia mai rappresentato. E come questi nove uomini pieni di dottrina teologica e morale, che si arrovellano intorno al condannato (ma ogni tanto vanno a
ristorarsi nell'appartamento dell'alcaide), restano nella storia del disonore umano, Diego
La Matina afferma la dignità e l'onore del-
l'uomo, la forza del pensiero, la tenacia della
volontà, la vittoria della libertà.
Come abbia risposto a tanta carità, come abbia infranto le acute proposizioni e i sottili
argomenti dei teologi, non sappiamo. Certo
è che non cedette. Certo è che il padre Ma-

tranga e i suoi colleghi, anche se ristorati dalle squisite vivande con tanta liberalità offerte dall'alcaide, fecero una nottataccia; e lo spettacolo dell'indomani forse non lo godettero appieno, immersi nella nebbia del sonno.

Quando i padri capirono che non c'era niente da fare, e decisero di abbandonare fra Diego al suo destino infernale, era già il mattino di domenica, il 17 di marzo del 1658. Pioveva. Si discusse se non era il caso di rimandare la festa: ché era un peccato, dopo tanti preparativi e tanta spesa, rischiare che la pioggia ne sciupasse gli effetti più belli e solenni; senza dire del problema, quasi un problema domestico, da scampagnata in campagna, di attaccar fuoco a quel bel mucchio di legna, nel piano di Sant'Erasmo. La decisione di prender tempo parve la più opportuna: e intanto si celebravano messe, una appresso all'altra.

Prima di mezzogiorno il cielo schiarì. La processione subito si ordinò; e ora vi avevano risalto le sbirresche autorità, inquisitoriali e laiche: don Antonio Cabello, alcaide, accompagnato da uno stuolo di nobili e dagli ufficiali del segreto cui poco prima, nella sua casa, aveva offerto lauta colazione; e don Francesco Cappero, capitano di giustizia, anch'egli seguito da molti nobili e con don Ottavio Lanza, principe della Trabia, a lato. Tra la giustizia del Sant'Uffizio e quella laica, andavano i rei.

Furono eglino questa volta trentadue: ciascedu-
no di loro andò con veste sciolta, e senza cinto, con
mitra vile, nella quale la qualità, e la gravità del
delitto, in dipintura, additavasi. Coloro che inse-
gne su 'l capo non portarono, girono scapigliati. I
condannati su le Regie Galere, o a pubblica frusta,
con grosse fune al collo, ed i Bestemmiatori con
forti boccagli. Ultimo di tutti, e bersaglio degli
occhi di un Regno, il Mostro dell'età nostra, con
abito vile, e mitra tinta di nera pece, e con somi-
glianza di fiamme orribilmente affocata, da più
Bastasi, e con gente armata attorno, su la descritta
sedia fu portato. Seco givano altri Religiosi, e i
Fratelli dell'Assunta a lato, procurando di ridur-
gli alla Cattolica verità l'ostinato conoscimento.

Su trentadue, nove erano donne; fattucchiere, maliose, invocatrici di demoni; una di
nome Domenica La Matina ma non parente
del principale reo. (Altri due La Matina troviamo nell'elenco dei rilasciati pubblicato dal
La Mantia: Isabella, bruciata in persona il 16
luglio 1513; Francesco, bruciato in statua il
14 settembre 1525: entrambi di Girgenti, entrambi neofiti giudaizzanti).
Un particolare che ci colpisce, nell'elenco di
rei che dà il Matranga, è che la pena più mite
sia toccata a un certo don Celidonio Ruffino:
tre anni di prigione *da assegnarsigli* e il solito
sambenito da portare. Curiosa questa condanna non assegnata ancora, come sospesa,
come condizionata: e forse trova spiegazione
nella notazione *vive di rendite* che il Matranga
lascia cadere dopo le generalità.

Prima che la processione muovesse dal palazzo del Sant'Uffizio, il marchese di Geraci e il principe della Trabia si accostarono a fra Diego e *con energia indicibile, mossa veramente da Dio, che non gli dissero? che non promisero? quanto lo sgridarono?*: ma fra Diego duramente respinse questa nuova ondata di carità; per cui la compassione dei due gentiluomini si mutò in sdegno, e *avrebbono voluto con loro mani strappargli dalla bocca la sacrilega lingua*. E non sarebbe stato il primo caso, a Palermo, di nobili che si mettessero a usurpare l'ufficio al boia: circa dieci anni prima don Alessandro Platamone, vecchia nobiltà spagnola, discendente di un viceré, aveva voluto il piacere e l'onore di decapitare Giuseppe d'Alesi.

Contenuto dagli alabardieri tedeschi e dai moschettieri spagnoli, il popolo vedeva ancora una volta *il Sant'Uffizio a cavallo*: spettacolo che solo si dava nelle celebrazioni degli Atti di Fede; e per il terribile significato che veniva ad assumere, nel sentire popolare si era raggelato in minaccioso proverbio. *Ti fazzu vidiri lu Sant'Ufficiu a cavaddu*, ti faccio vedere il Sant'Ufficio a cavallo, valeva (fino a pochi anni addietro) il far vedere le stelle o i sorci verdi.

Erano tutti a cavallo, su corsieri riccamente sellati e ingualdrappati: dall'inquisitore, in cappa di ermellino e cappello pontificale, ai frati. E pare fosse, questa dei frati a cavallo, una novità; una novità da commuovere il popolo fino alle lacrime, secondo il Matran-

74

ga: per il contrasto tra i leggiadri ornamenti dei cavalli e la ruvidezza dei grossi panni e delle bigie lane di cui i frati vestivano. Ma il popolo siciliano, sappiamo, non è mai stato incline a commuoversi sull'umiltà e povertà dei frati; e in quei tempi aveva poi ben altro di cui piangere. E non diciamo che avesse da piangere su quella tragica buffonata, su quei poveri condannati che andavano con la corda al collo e su Diego La Matina che stava per essere bruciato vivo: ché crediamo, anzi, lontanissimo dalle plebi di allora, superstiziose e feroci, un tal sentimento; e se qualcuno fosse stato toccato da generica o solidale pietà per i rei e sconsideratamente ne avesse fatto espressione, ad ogni buon conto le orecchie delle spie vagavano tra la folla come aquiloni. E si sapeva.

Il popolo dunque gridava a fra Diego biasimo e lo esortava al pentimento: e fra Diego rispondeva. *S'avanzò in audacia, e le maldicenze moltiplicò*: e dovevano essere *maldicenze* da produrre un certo effetto, se *fu necessario più volte rimettergli il freno, e il boccaglio*. Tremenda e grottesca scena, questa degli aguzzini che stan lì, pronti a tappare la bocca alla vittima: con freno (probabilmente una specie di morso da cavallo) e bavaglio, ché le precauzioni non sono mai troppe.

La processione giunse all'anfiteatro di piazza del duomo: e al balcone del palazzo arcivescovile si affacciò don Pietro Martinez Rubio, arcivescovo di Palermo e presidente del Regno; con volto, ci assicura il Matranga, radioso di soddisfazione per la bellezza e l'ordine in cui la festa veniva dispiegandosi. Come sempre accade, sui palchi salì più gente di quanta si prevedesse: poiché in Sicilia, ancor oggi, nelle feste pubbliche o private le autorità o gli amici sempre superano nel numero ogni previsione; e non è infrequente il crollo di palchi o di pavimenti. Il duca d'Alba, che arrivava a Palermo da viceré, si ebbe fama di jettatore per il fatto che il ponte apprestato a riceverlo crollò in mare un attimo prima che lui vi mettesse piede, e ci furono molte vittime. Forse memore della fatale fama che il suo compatriota si era acquistata, monsignor de Los Cameros subito si preoccupò di far puntellare validamente i palchi. Si perse del tempo: ma finalmente l'inquisitore poté dare il via al domenicano Pietro Martire Lupo, che era l'oratore designato. Ma tale era il vocìo della *moltitudine indiscreta* che il sermone lo godettero solo quelli che stavano vicini all'oratore.

Si cominciò la lettura dei processi. I rei, uno ad uno, venivano avanti e ascoltavano, quasi tutti senza capire, le loro colpe e la sentenza di condanna. Intanto alle dame, in palco, veniva servita una *convenevole colazione*: non sappiamo se convenevole alla *liberalità, e grandezza d'animo* dell'inquisitore che l'offriva o alla qualità delle dame o all'ora, al luogo, alla cerimonia. E per i gentiluomini le *buvettes* funzionavano a frenetico ritmo. Ma si faceva tardi: e monsignor de Los Cameros ordinò di lasciar perdere i processi dei minori rei, e di venire al principale.

Fra Diego, *così com'era su la sedia legato,* fu dai *bastasi,* cioè dai facchini, portato avanti. Il rumore della folla improvvisamente cessò. *Egli fu incredibile l'attenzione di ciascheduno, con che la lettura delle di lui sacrileghe scelleratezze, e dell'Eretiche proposizioni ascoltasse, quali tutte l'aspetto ribaldo, ed ostinato, e la sfacciata fronte, a chiari caratteri confermava.* Un'immagine che ci dà commozione ed orgoglio: e come uomini liberi e come tardi concittadini di fra Diego. In quel momento, non c'è dubbio, il condannato era stato imboccagliato a dovere: se no al lettore e al tribunale e agli spettatori avrebbe gridato il suo disprezzo.

E qui bisogna spiegare che la lettura del processo consisteva in una generica elencazione di colpe, per come prescrivevano le disposizioni del Supremo Consiglio dell'Inquisizione spagnola. Precauzione così spiegata da un proceduralista del Sant'Uffizio:

Si ha di avvertire che nelle sentenze non si cavino li motivi e raggioni che dona il reo; nelle quali si fonda per mantenere quelli errori, né quelle che donano gli eretici né altra cosa che offenda l'udito delli cattolici; né che sia né possa essere occasione che per quello siano insegnati o che imparino qualche cosa di quelle o vengano a dubitare in alcuna cosa; e questo si deve considerare bene, perché si afferma che alcuni s'hanno imparato sentendo queste sentenze.[36]

Dunque gli astanti seppero soltanto che fra Diego era eretico, apostata, bestemmiatore;

e parricida, poiché aveva ammazzato monsignor de Cisneros che gli era padre nella gerarchia oltre che in amore e carità.

Pronunciata la sentenza, il condannato fu trasportato davanti all'arcivescovo inquisitore. Si mosse tanta gente per godere la scena che poco mancò il tavolato non cedesse: e monsignore avrebbe evitata la fama di jettatore, ma a prezzó della propria caduta, inevitabile. Si riuscì a fare un po' d'ordine: e si diede mano alla dissacrazione. Fu tolta al condannato la mitra, poi il sambenito; e alla meglio fu rivestito dell'abito del suo ordine e di tutti quei paramenti che un diacono, qual egli era, indossa nell'officiare. La cosa fu parecchio complicata, poiché non è facile spogliare e vestire un uomo incatenato a una sedia. Dopo di che, quei capi che faticosamente erano riusciti a mettergli addosso, uno dopo l'altro gli furono strappati. Ad ogni capo di cui lo spogliava, monsignore recitava una formula: e tra uno strappo e l'altro gli accostava alle mani legate, e subito li ritraeva, i libri sacri, le ampolle, il calice, l'asciugatoio, le chiavi. Dopo di che di nuovo lo rivestirono del sambenito e della mitra.

La dissacrazione fra Diego avrebbe dovuto subirla stando bocconi o in ginocchio: ma prudenza consigliò di sorvolare su questo dettaglio, *a dubbio, che libero da ferri l'empio, non avesse a sugellare con nuovo atroce delitto l'infame termine di sua vita.* Monsignor de Los Cameros evidentemente non aveva sete di martirio.

Per quel che riguardava il Sant'Uffizio, la vicenda di fra Diego era finita: bastò spostarlo davanti al palco del capitano di giustizia, e *l'ultima sentenza di morte si gli pronunziò: che vivo abrugiato, fossero al vento le di lui ceneri disperse.*

Dopo che gli altri trentuno rei ebbero abiurato, si riformò la processione: e doveva passare davanti al palazzo del Sant'Uffizio, dove i trentuno assoluti sarebbero rientrati nelle carceri, e proseguire per il piano di Sant'Erasmo.

Stavolta fra Diego era stato messo su un carro trainato da buoi. Era già sera, però candele e fiaccole davano sufficiente luce. Ma per i venditori di vino, di fritture e di càlia che avevano piazzato tavoli e panche intorno allo steccato del rogo, fu una disdetta quella pioggia che aveva ritardato la cerimonia. Ed anche per le signore: per le loro tolette, per le loro gale che le luci vacillanti non estraevano nello splendore dovuto. C'era da contare, però, sulla luce del rogo.

Alla vista del rogo, fra Diego *non s'alterò, non sbigottì, non mostrò segni di timore, o di spavento.* Fu sistemato sulla catasta di legna, sempre legato alla sedia e la sedia legata a un palo. I due dotti sacerdoti che durante il cammino dal piano del duomo al piano di Sant'Erasmo avevano tentato di ridurlo a penitenza, si allontanarono da lui. Estremo tentativo di persuasione, per due volte si finse di attaccar fuoco alla legna: e finalmente fra Diego disse di voler parlare al teatino Giuseppe Cicala, uno dei due padri che lo avevano accompagnato sul carro. Il teatino, chi sa perché, forse in preda ad una certa commozione (e questa può anch'essere la ragione per cui fra Diego chiese di lui), si era cacciato tra la folla, forse stava per rinunciare allo spettacolo: a grida di popolo fu richiamato. Si riaccostò al condannato. «*Io muterò sentenza, e Fede, ed alla Chiesa Cattolica mi sottometterò*» disse fra Diego «*se vita corporale mi darete*». Rispose il teatino che la sentenza era ormai impermutabile. E fra Diego: «*A che dunque disse il Profeta: Nolo mortem peccatoris, sed ut magis convertatur, et vivat?* ». E rispondendo il teatino che il profeta intendeva la vita spirituale e non quella corporale, fra Diego disse: «*Dunque Dio è ingiusto*».

A queste sacrileghe parole dato fuoco alla legna, ben tosto affumicato, affogato, abrugiato, ed incenerito del malvagio Heretico il corpo immondo, passò l'anima rabiosa, ed infernale, a penare, ed a bestemmiare per sempre. Ordinò Monsign. Arcives. Inquisitore, mosso da giuste cause, che la mattina pertempo le sordide ceneri raccolte fossero, e disperse al vento.

Il dottor Auria credette giusto per sua parte, aggiungere un tocco di soprannaturale a conclusione della breve relazione che dà nel diario di questo Atto di Fede:

Si vide da tutti, e da me ancora ch'era presente, mentr'era l'infame e perverso reo nel detto piano di

*S. Erasimo, un gran stuolo di corvi, che gridavano
e crocitavano ad alta voce intorno alla sua persona, né mai lo lasciarono sino che morisse. Onde da
tutti si credé essere stati li demonii assistenti in vita
sua, che alla fine se lo portarono alle perpetue pene
dell'inferno.*

Strano che il padre Matranga, attento com'e-
ra a spiare tutti i segni naturali e soprannatu-
rali che coincisero con l'Atto di Fede, non
abbia fatto caso a questi corvi-demonii: e tanto più che *tutti* li notarono. (Ma questo volo di
corvi, in realtà, il cronista lo vide qualche
anno dopo, nella pagina dedicata al caso di
fra Diego dal domenicano Giovanni Maria
Bertino: in quel suo curioso libro che s'intitola *Sacratissimae Inquisitionis Rosa Virginea* pubblicato a Palermo nel 1660/62). In compenso,
a don Vincenzo Auria sfuggirono le battute
tra fra Diego e padre Cicala: battute che a noi
pare di dover considerare non come segno di
cedimento, di paura, da parte del condannato; ma come l'estremo modo di dar prova al
popolo dell'inflessibile ferocia di una fede
che proclamava di ispirarsi alla carità, alla
pietà, all'amore.

Volentieri ci daremmo al diavolo con una polisa, se in cambio potessimo avere quel libro che fra Diego scrisse *di sua mano con molti spropositi ereticali, ma senza discorso e pieno di mille ignoranze*: ma con buona pace del dottor Auria e dei reverendissimi inquisitori, che ci credevano, stabilire un simile commercio col diavolo non è possibile.

Quali spropositi ereticali il libro contenesse, quale precisamente fosse l'eresia di fra Diego, forse non sapremo mai. Gli atti del processo, e il libro scritto di sua mano agli atti alligato come corpus delicti, si consumarono tra le fiamme, nel cortile interno dello Steri, il venerdì 27 giugno del 1783: insieme a tutte le denunzie, i processi, i libri, le scritture dell'archivio propriamente inquisitoriale, cioè delle cosiddette cause di fede (mentre un secondo archivio, delle *cause forensi*, di materia civile o comunque non attinenti alla fede, veniva salvato nell'interesse del re). La distruzione dell'archivio, attesta un aristocratico cronista, *incontrò il comune applauso, stanteché se tali memorie, che Dio liberi, fosser per avventura venute fuori, sarebbe stato lo stesso che macchiare di nere note molte e molte famiglie di Palermo e del regno tutto, così del rango de' nobili, che delle oneste e civili.*[37] E pare evidente che il cronista si preoccupasse più per i nomi dei denunzianti, che potevano venir fuori da quelle carte, che per quelli degli inquisiti: poiché il santo tribunale doveva aver avuto una così vasta rete di spie (tra i nobili, tra i civili, tra gli *onesti*) da fare impallidire al confronto quella dell'Ovra. Ma dell'avvenimento che portò alla distruzione dell'archivio diremo tra poco.

Una grande risorsa, ma non tale da compensare la perdita dell'archivio inquisitoriale palermitano, è per gli studiosi dell'Inquisizione di Sicilia l'Archivio di Madrid, dove cinquant'anni addietro sono state trasportate le carte dell'Inquisizione che prima erano in quello di Simancas. Ma non per noi, non per il caso di fra Diego. Tutto quel che c'è a Madrid al riguardo, si riduce a una *relación sumaria* dell'Atto di Fede e a questa notazione:

Fray Diego la Matina, natural de Rahalmuto, Diocesis de Girgento, de edad de 37 años, religioso profeso de los Reformadores de S. Agustín, de orden Diacono, por hereje formal, reincidivo, homicida de un señor Inquisidor in odium fidei, Impenitente, Pertinaz, Incorregible, auto, con insignias de Relaxado, donde se le lea su sentencia, y despues de degradado, sea Relaxado a la Justicia temporal.

Già il Garufi[38] aveva notato, lavorando a Simancas, il disordine in cui si trovavano le carte *de la Inquisición de Palermo o Sicilia*; ma tra le indicazioni che dava, una ce n'era che faceva al nostro caso: quella del *legajo 156* in cui, tra altre, era contenuta la relazione delle cause espedite nel 1658. Ma il *legajo 156*, che per mesi lampeggiò nella nostra mente con febbrile frequenza, fino all'allucinazione, a Madrid non corrisponde più alle *relaciones de causas de fé* delle annate segnate dal Garufi. Le relazioni 1640-1702 si trovano nel libro 902, e quella del 1658 comincia dal foglio 388 (al foglio 390, postilla 32, è l'annotazione riportata: e 32 è poi il numero che fra Diego ha nell'elenco del Matranga).

Non è improbabile che una completa copia del processo o una relazione meno sommaria, si trovino dentro qualche *legajo* in cui non dovrebbero trovarsi; e che fortuitamente, o a compenso di più pazienti ricerche, una volta o l'altra vengano fuori. Certo è, comunque, che se le ricerche del Garufi a Simancas si svolsero, relativamente all'Inquisizione di Sicilia, in margine a un altro lavoro cui attendeva (i rapporti diplomatici tra Filippo V e Vittorio Amedeo II), né andarono oltre i primi del seicento, quelle di Henry Charles Lea, esclusivamente dirette all'Inquisizione nei domini spagnoli, non hanno portato niente di nuovo riguardo a fra Diego: e sotto l'occhio dello studioso americano forse non cadde nemmeno la relazione sommaria da noi citata, se era costretto a rifarsi al Franchina, storico a dir poco sospetto dell'Inquisizione di Sicilia, per notare che *the position of Inquisitor was not wholly without danger, for Juan Lopez de Cisneros died of a wound in the*

forehead inflicted by Fray Diego La Matina, a
prisoner whom he was visiting in his cell... [39]
Improvvisa esultanza, ma subito fugata dalla
riflessione, ci diede nell'Archivio di Stato di
Palermo un passo del cerimoniale viceregio,
là dove il protonotaro, registrando l'avvenimento dell'Atto di Fede, diceva del maggior
reo: *eretico pertinace, il quale era d'evangelio*. [40]
Ma c'è una probabilità su mille che il protonotaro del Regno abbia voluto, con l'espressione *d'evangelio*, qualificare l'eresia di fra
Diego; e per tante ragioni. In primo luogo
perché tale espressione, allora, tra laici che si
intendevano di cose ecclesiastiche molto più
di noi, doveva avere l'univoco significato del
secondo degli ordini maggiori, il diaconato
appunto, cui fra Diego era pervenuto: e non
c'è documento alcuno, riteniamo, in cui le
eresie luterane o anabattiste vengano desi-
gnate come *d'evangelio*. Ma quand'anche non
si volesse del tutto escludere una simile probabilità, c'è da osservare che le ondate pro-
pagatesi in Sicilia tra il 1644 e il 1658 dovevano essere del tutto spente. [41] E ancor meno,
poi, reggerebbe l'ipotesi che venisse indicata
come *d'evangelio* un'eresia che, senza parteci-
pare di un già definito movimento religioso,
facesse appello a certi princìpi sociali dell'E-
vangelio (cioè l'eresia che noi sospettiamo
abbia effettualmente professata fra Diego).
E infine c'è da notare che difficilmente il
protonotaro del Regno si sarebbe azzardato
a rompere, e sul registro del cerimoniale,
quell'omertà intorno al caso di fra Diego cui

persino i diaristi, nel segreto del loro scrittoio, si erano attenuti.

Perché, non inconsueto comportamento relativamente a fatti che toccano la religione e l'aristocrazia (e non è superfluo ricordare il caso della baronessa di Carini),[42] quella degli autori di cronache o diari è una vera e propria forma di omertà: a solidale conferma-zione delle versioni ufficiali o ufficiose, delle mistificazioni familiari; e in questo caso delle asserzioni del Matranga. Il quale scrive:

Fu egli bestemmiatore eretical, ingiurioso, di-spreggiatore delle Sagre Imagini, e de' Sagramen-ti. Fu superstizioso, malefico, temerario, empio, sacrilego, e di non udite malvagità, che per mode-stia si tacciono, bruttato. Fu Eretico non solo, e Dommatista, ma di sfacciatissime innumerabili eresie svergognato, e perfido difensore.

Il che è troppo; e troppo poco. E si noti, anche, come maliziosamente il teatino insi-nui, a carico di fra Diego, una qualche colpa di natura sessuale: il termine *modestia*, a tut-t'oggi, nel linguaggio clericale significando virtù nei riguardi del sesso. Ma se davvero fra Diego si fosse reso colpevole di un reato di tal natura, nel rapporto annuale inviato a Madrid non sarebbe mancato un accenno: considerando con quale voluttà, in altri rap-porti, i padri inquisitori indulgono e indu-giano a descrivere simili colpe.[43]

Né il domenicano Giovanni Maria Bertino, nella sua *Rosa Virginea*, va al di là (tranne che in un solo punto, in una sola parola) della generica elencazione del Matranga, anche se cosparsa di barocche immagini:

La fortezza della sua mente fu espugnata dal demonio, che in essa fece irruzione e nella parte più interna del suo cuore; penetrò questo tremendo nemico nei recessi del suo animo, ne dissipò la fede, vi seminò largamente le proposizioni ereticali, blasfeme, temerarie; e l'uomo divenne apostata, idolatra, blasfemo, malefico, superstizioso, eretico, dommatista e sentina pestilentissima di tutti i più orribili delitti.

E siamo convinti, convintissimi, che nel giro di quattordici anni il Sant'Uffizio poteva ben riuscire a fare di un uomo religioso, che dentro la religione in cui viveva e operava soltanto mostrava qualche segno di libertà di coscienza (l'espressione è del Matranga), un uomo assolutamente irreligioso, radicalmente ateo: ché se oggi il cardinal Frings può definire il Sant'Uffizio « fonte di pericolo per i credenti », figuriamoci quale fonte di pericolo doveva essere tre secoli addietro. Ma qual è stato per fra Diego il punto di partenza; quale la sua prima eresia? Ed era l'eresia di un uomo ignorante, rozzo, *salvaggio*, come si adoperano a far credere il Matranga e l'Auria, o un'eresia nata da un'esperienza esegetica, da una cultura viva, da una razionale aspirazione, da un profondo sentimento umano? Certo un po' di credito agli illustri sacerdoti che si adoperarono a convertirlo bisognerebbe pur concederlo; e al padre Matranga che così ne riferisce:

Le dispute co' primi Teologi della città; li raggionamenti di religiosi, non meno pii, che facondi, e dotti; le ammonizioni de' Superiori, i discorsi, e le persuasioni de' Ministri del S.U. fatti predicatori, c'avrebbono convinta la temerità medesima, e qualsivoglia ruvido intelletto con loro dottrine scheggiato, non bastarono di questo uomo veramente di sasso, a muovere il tenace concetto.

Il tenace concetto: è detto bene. Bisogna convenirne: questo padre Matranga, che scrive da cane, la penna gli si affina, gli si fa precisa ed efficace, appena tocca della forza e resistenza di fra Diego. E ancora:

Nell'ultima sua notte allo spettacolo precedente, straccò dieci Religiosi [a nostro conto erano nove] *tutti ad ammonirlo, ed a convertirlo intenti; né mai cessò di dispreggiare, e ribattere, loro rimproveri, raggioni, preghiere, e lagrime.*

Non era dunque un ignorante: disputava coi primi teologi di Palermo; per mesi, per anni, tra le blandizie e sotto la tortura, respinse le loro persuasioni, rispose con le sue alle loro ragioni. E nelle ultime ore della sua vita ne *straccò* addirittura dieci: dieci dotti teologi, ristorati di tempo in tempo dalla cucina e dalla cantina dell'alcaide, furono straccati da un uomo il cui corpo e la cui mente avevano subìto per quattordici anni durissime e atroci prove; da un uomo che da mesi, e ancora in quel momento, e fino alla morte per fuoco che tra qualche ora avrebbe avuto, stava legato con ceppi di ferro ad una forte sedia di castagnolo.

Ci fa velo l'amore, e l'onore di appartenere alla stessa gente, di avere avuto i natali dalla stessa terra, se ricordiamo *non mutò aspetto, / né mosse collo, né piegò sua costa?*

Con qué pocas ideas viven una secta y un siglo!, dice il Menéndez Pelayo nella sua famosa *Historia de los Heterodoxos*. E aggiunge:

Bastò ai protestanti la dottrina della giustificazione per i soli meriti di Cristo e senza l'efficacia delle opere. Bastò agli alumbrados e ai quietisti l'idea della contemplazione pura, nella quale, perdendo l'anima la propria individualità, sprofondandosi nell'infinita Essenza, annichilendosi, per così dire, perviene a tale stato di perfezione e di irresponsabilità, che il peccato commesso finisce di essere peccato.

E si può anch'essere d'accordo sulla pochezza, quantitativa e spirituale, delle idee di cui vivono i movimenti eretici dei secoli XVI e XVII: ma il fatto è che esse furono combattute con un rigore e una ferocia che denunciano una pochezza, e filosofica e religiosa, anche più squallida.

Quella degli *alumbrados*, che era l'idea eretical corrente al tempo di fra Diego, non era, tutto sommato, che un tentativo di rompere il cerchio della sessuofobia cattolica. I casi che se ne registrano sono infatti di greve erotismo, e coinvolgono di solito il frate e la bizzoca, le comunità religiose femminili e i loro confessori: a livello, a volte, della prima giornata dei *capricciosi ragionamenti* dell'Aretino.

Se fra Diego avesse professato la dottrina degli *alumbrados*, in uno dei tre cronisti contemporanei, se non in tutti e tre, avremmo trovato non diciamo la netta definizione della eresia, ma almeno un vago riferimento: come in altre relazioni di Atti di Fede che riguardano seguaci di sette già individuate e colpite, di idee già definite e condannate. Né la insinuazione, appena accennata, di una colpa di natura sessuale si può considerare un'indicazione. C'è da dire, poi, che il comportamento degli *alumbrados*, una volta caduti in mano dell'Inquisizione, era di totale passività e abbandono: quasi la prova suprema del *dexamiento* in Dio. Tutt'altro, insomma, del comportamento di fra Diego.

Fra Diego si difende, fugge, tenta di darsi la morte, uccide. Se qualcuna di queste sue azioni fosse stata in contrasto con la dottrina professata, il Matranga e il Bertino non avrebbero espresso tanto stupore per la sua fermezza proterva, per il suo *tenace concetto*.

In senso teologico, pare che la sua eresia si possa restringere e riassumere nell'affermazione che Dio è ingiusto; poiché, secondo il Bertino, non soltanto sul rogo fra Diego la pronunciò: *Qui tandem, propius admoto igne, antiquatam suam blasphemiam repetens hanc haereticalem Deus est iniustus, fumosis flammis suffocatus, interiit...* Ripetendo l'antica sua bestemmia, dunque: e sarà stata la finale proposizione ereticale delle sue concezioni morali e sociali. E par facile poter formulare l'ipotesi che dalla rivolta contro l'ingiustizia sociale, contro l'iniquità, contro l'usurpazione dei beni e dei diritti, egli sia pervenuto, nel momento in cui vedeva irrimediabile e senza speranza la propria sconfitta, e identificando il proprio destino con il destino dell'uomo, la propria tragedia con la tragedia dell'esistenza, ad accusare Dio. Non a negarlo, ma ad accusarlo. E vien fatto di ricordare quel passo della *Storia della colonna infame* in cui Manzoni dice che *cercando un colpevole contro cui sdegnarsi a ragione, il pensiero si trova con raccapriccio condotto a esitare tra due bestemmie, che son due deliri: negar la Provvidenza, o accusarla.* E si consideri che quella realtà che Manzoni stava scrutando nelle carte del processo agli untori fra Diego l'aveva sofferta nella carne e nella mente, per anni.

È più che probabile, però, che questa proposizione sia stata meno antica, in fra Diego, di quanto il Bertino voglia farci credere; e che in principio sia stata pronunciata in termini diversi. Per esempio: che Dio non poteva, senza essere ingiusto, consentire all'ingiustizia del mondo. Un'eresia che si fondasse sull'affermazione che Dio è ingiusto non può, né a maggior ragione poteva nel secolo XVII, far molta strada nel senso del proselitismo: e invece pare che fra Diego fosse riuscito a far proseliti (e questa era la maggior preoccupazione del sacro tribunale).

Questa parola – *antiquatam* – è comunque,

nella compatta omertà dei suoi contemporanei, l'unica smagliatura che ci permette di intravedere l'eresia di fra Diego, di azzardare l'ipotesi che egli agitò il problema della giustizia nel mondo in un tempo sommamente ingiusto. E ciò spiega il silenzio dei suoi contemporanei, e l'orrore. *Oh se l'empietà di questo reo rimanesse sepolta nelle tenebre dell'inferno!*, invoca il Bertino.

Senza metafisica e senza barocchi orpelli, in tempi più vicini a noi, un uomo di intendimenti non dissimili da quelli del Bertino e del Matranga ordina: *il cervello di quest'uomo non deve più funzionare*.

Un dramma che si ripete, che forse si ripeterà ancora.

Il 12 marzo del 1782 don Saverio Simonetti, consultore del Regno, *alle ore sedici e mezza, si fece trovare nel palazzo del S. Uffizio, e quivi, usando giurisdizione, visitò il medesimo di parte in parte, cautelandovi al tempo istesso in nome del re le abitazioni non solo e tutti i corpi compresi nell'edificio, ma ancora generalmente le rendite e le pertinenze d'azienda del tribunale. Suggellò egli pertanto gli archivi delle scritture, e passando a fare inventario dell'argento e delle mobilie serbate ed esistenti nel palazzo, terminò finalmente la sua incumbenza con annunziare a' rei colà imprigionati la loro sicura liberazione fra giorni.*

Il 27 marzo seguiva un più solenne atto di possesso da parte del governo. Il marchese Domenico Caracciolo, viceré di Sicilia, si portò al palazzo dell'Inquisizione *nella maniera medesima e col treno istesso, che* soleva *usare per le cappelle reali.* Erano al suo seguito le autorità militari e civili, e persino l'arcivescovo di Palermo monsignor Sanseverino. *Nell'aula propria degli inquisitori* il segretario di stato Giuseppe Gargano lesse il decreto d'abolizione.[44] Il viceré si commosse fino alle lacrime: *à vous dire vrai, mon cher ami, je me suis attendri, et j'ai pleuré.* L'amico era D'Alembert, che nel giugno dello stesso anno pubblicava sul « Mercure de France » la lettera in cui Caracciolo, commosso e orgoglioso, dava notizia dell'abolizione del Sant'Uffizio in Sicilia.[45]

Letto il decreto, continua il cronista, *ce la spassammo tutti, facendo corte alla persona del principe, in visitare di parte in parte tutto il palazzo e in osservare lo stato delle carceri:* ma si intenda lo spasso nel senso di una curiosità finalmente appagata; ché lo stato d'animo del cronista, cioè di don Francesco Maria Emanuele e Gaetani, marchese di Villabianca, era del tutto opposto a quello di don Domenico Caracciolo. A premessa della sua cronaca ha infatti posto come avvertimento ai suoi discendenti *che non abbian punto rossore* se scopriranno qualcuno della loro nobile casa essere stato familiare del Sant'Uffizio; e per suo conto dichiara rimpianto e malinconia in questo distico:

Croci gigliate addio, spade addio e ulivi;
non conto fate più; nulla voi or siete.

Le croci gigliate, verdi in campo paonazzo, erano fregio dei familiari; la spada circonfusa di rami d'olivo e della dicitura *Exurge, Domine, et judica causam tuam*, era lo stemma del Sant'Uffizio. E questo stemma, dalla facciata dello Steri, il viceré ordinò fosse subito scalpellato via.

Questa furia del Caracciolo (*uno degli spiriti illuminati del presente secolo*, dice ironicamente il Villabianca: e lo era davvero) a cancellare gli emblemi e i segni di una istituzione che di per sé era offesa alla ragione umana e al diritto, cadde anche su *un quadraccio vecchio, che stava appeso in una delle stanze interiori del palazzo, e poiché vide ch'era un ritratto di un antico inquisitore spagnuolo nell'atto di venire ucciso da un reo con una mazzata di manette di ferro in testa, con le quali il ribaldo stava legato alla di lui presenza rispondendone alle interrogazioni, ordinò che all'istante si fosse mandato al fuoco.*

Si ebbe la riprovazione del Villabianca (nella cronaca destinata ai posteri, beninteso): una *delle solite sue figliuolerie napoletane*, annotò. Una ragazzata, una mariuoleria: e da napoletano qual era, poiché la nazione napoletana era stata sempre *infesta oh quanto al S. Uffizio!*

Il marchese Caracciolo (*uomo di alto, sagace e faceto ingegno*, come dice Vittorio Alfieri;[46] di *penetrante e luminosa intelligenza*, come dice Marmontel;[47] di sicuro, acuto e inflessibile giudizio sulle cose della Sicilia, come possiamo dire noi) si trovò così per un momento di fronte a fra Diego La Matina. E che costui, uccisore ma vittima, gli ispirasse solidale simpatia, non c'è da aver dubbio: e l'ordine di distruggere subito il quadro va spiegato, oltre che con l'inclinazione tipicamente illuministica di cancellare tutto ciò che nel passato il sonno della ragione aveva generato,[48] con le qualità, i toni, gli effetti del quadro stesso; che, c'è da immaginarlo, avrà rappresentato fra Diego carico di diabolica furia e ferocia, e monsignor de Cisneros dolce e indifeso martire, quasi un santo.

Forse chiese, il viceré, quale vicenda, precisamente, il quadro rappresentasse. Ma nessuno, sul momento, era in grado di rispondere: nemmeno il marchese di Villabianca, che della storia patria sapeva tutto. E perciò:

Destatasi intanto la curiosità di me Villabianca a voler sapere chi fosse il detto disgraziato inquisitore espresso in quel quadro, lo trovai nel « Breve rapporto del tribunale della S.S. Inquisizione di Sicilia », pubblicato dal fu monsignor Franchina nel 1744, dove si vede a pag. 100 e 35 essere stato Giovanni Lopez de Cisneros, inquisitore con l'uffizio di procurator fiscale, e l'uccisore di lui essere stato nel 1657 il famoso empio fra Diego La Matina, che fu alla fine bruciato vivo nel 1658.

Il famoso empio: ma non tanto famoso che il marchese a prima vista se ne ricordasse. Il fatto è che l'uccisione dell'inquisitore e l'identità dell'uccisore erano ormai entrati in una leggenda quasi clandestina: con quelle varianti, quegli stravolgimenti, quelle dispersioni di cui sono oggetto, nel trascorrere nel tempo, gli avvenimenti eccezionali. Nella fantasia e nel sentimento del popolo, fra Diego era diventato un brigante: calato nella serie che da secoli dura ininterrotta, fino a Salvatore Giuliano; uno di quegli uomini pacifici cui l'onore familiare o il bisogno arma improvvisamente la mano, e si levano alla vendetta; e costretti poi alla campagna si dedicano a taglieggiare i ricchi e a beneficare i poveri. E forse tra la nobiltà si era stabilita una leggenda apparentemente simile ma sostanzialmente diversa, se il Brydone, nel 1770, così scriveva:

Gli Inquisitori che spingono un po' troppo oltre il loro zelo, finiscono ben tosto assassinati, soprattutto se si arrischiano a ingerirsi nella condotta e nelle opinioni della nobiltà. Questo espediente rallenta il loro ardore e ispira moderazione al Sant'Uffizio.[49]

A meno che il Brydone non abbia del tutto travisato l'informazione, si può dire che se il popolo vedeva in fra Diego un vendicatore, i nobili lo avevano ridotto al ruolo del sicario. Perché è presumibile che il caso di fra Diego sia stato raccontato al viaggiatore inglese come una vanteria, per così dire, di classe: da un nobile palermitano che, di fronte ad un uomo libero, ha voluto mostrare se stesso e la sua classe affrancati, sia pure con segreto e violento espediente, dalla vergogna dell'Inquisizione. Il Brydone, per sua parte, avrà generalizzato: sembrandogli si adattasse al modo di vita dei siciliani, e della nobiltà, l'uccisione degli inquisitori troppo zelanti.
Chi invece si era ricordato di fra Diego come assertore di princìpi e nemico e vittima dell'Inquisizione, era stato l'agostiniano fra Romualdo da Caltanissetta: circa cinquant'anni dopo la morte di fra Diego e circa cinquant'anni prima che il Brydone venisse in Sicilia.

Tra le altre sue eresie, il molinista fra Romualdo (al secolo Ignazio Barbieri) aveva affermato che fra Diego La Matina era santo martire: e si ebbe dal Sant'Uffizio l'onore di un egual martirio, insieme alla sua penitente e seguace suor Geltrude (al secolo Filippa Cordovana), nell'Atto di Fede celebrato in Palermo il 6 aprile del 1724.[50]

Un santo martire. Ma noi abbiamo scritto queste pagine per un diverso giudizio sul nostro concittadino: che era un uomo, che tenne alta la dignità dell'uomo.

NOTE

1. Edizione nazionale delle opere di Giuseppe Pitré, vol. XXVI, Roma, 1940.

Qualche mese dopo la pubblicazione di questo mio libretto, sono state riscoperte nel palazzo dello Steri tre celle delle carceri inquisitoriali coperte di graffiti e disegni; e da ciò questa mia nota, pubblicata su «La Fiera letteraria» del 22 novembre 1964:

«Quella cultura siciliana del cui decesso Giovanni Gentile dava comunicazione nel saggio *Il tramonto della cultura siciliana* aveva una caratteristica: si svolgeva, tra i suoi protagonisti, come una specie di dialogo tra sordi. E non poteva essere diversamente, in una terra dove l'individualismo e l'amor proprio giungono a vertici parossistici e, qualche volta, micidiali.

«Potremmo fare molti esempi. Ma ci fermeremo a questo, che ora ci importa: di come a Giuseppe Pitré, per non aver letto, o per aver letto superficialmente, un libro di Vito La Mantia, suo contemporaneo e molto probabilmente suo amico, sia sfuggita l'occasione di dare un completo ragguaglio sulle carceri dell'Inquisizione in Palermo. Le quali carceri furono per mesi, forse per anni, un suo importante centro di interesse; un luogo d'indagine non soltanto intellettuale ma anche di delicata ed estenuante manualità.

«Nel 1906 un consigliere comunale di Palermo, l'avvocato Giuseppe Cappellani, avvertiva Pitré che durante i lavori, che si stavano eseguendo, per adattare certi locali di palazzo Chiaramonte ad archivio del tribunale penale, "scrostandosi spontaneamente della calce, veniva fuori non so che figura". "Non indugiai un istante a recarmici, impaziente di trovarvi qualche cosa utile alla conoscenza del luogo" dice Pitré. E trovò infatti, in quattro strati di antiche e ripetute imbiancature, quelli che con felice espressione chiamò "palinsesti del carcere": disegni e scritte che in circa due secoli i prigionieri dell'Inquisizione avevano lasciato su quelle pareti.

« Su sei celle, riuscì ad esaminarne tre: ché le altre tre erano già state irrimediabilmente guastate dai lavori di riadattamento. E appena finito il suo paziente esame (cui doveva corrispondere l'impazienza degli addetti ai lavori e dei burocrati giudiziari), le pareti di quelle tre celle furono coperte da canovaccio dipinto a tempera.

« Tecnici e operai, che pure dovevano conoscere tutti i locali dell'antico palazzo, si guardarono bene dal dirgli che in un ammezzato tra il pianterreno e il primo piano, appena illuminate da aperture prospicienti alla Piazza Marina, esistevano ancora le cosiddette carceri filippine: tre celle le cui pareti erano coperte di scritte, disegni e pitture di prigionieri: e forse erano state risparmiate da un'ultima mano di calce in grazia, appunto, della qualità delle pitture.

« Ma il bello è che Vito La Mantia, l'unico ad aver tentato, finora, una organica storia dell'Inquisizione in Sicilia (ma sui pochi documenti rimasti a Palermo dopo la distruzione dell'archivio dell'Inquisizione), in un libro pubblicato due anni prima della scoperta del Pitré, aveva dato notizia delle tre celle: e questo libro ripetutamente Pitré cita nel suo lavoro, *Del Sant'Uffizio a Palermo e di un carcere di esso*. E c'è di più. Poiché il Pitré aveva dato notizia di due graffiti geografici che raffiguravano la Sicilia, uno studioso di geografia, Giuseppe Di Vita, era andato ad esaminarli: prima che il Pitré finisse il suo lavoro di raschiamento e di decifrazione se – come sappiamo – le celle furono attaccate dagli operai subito dopo. E il Di Vita, nell'occasione, vide quelle altre tre celle che restarono invece invisibili al vecchio ed illustre studioso. Ne diede anzi comunicazione al congresso geografico che si tenne a Palermo nel 1910 (e una copia a stampa della comunicazione presumiamo, non senza fondamento, si trovasse tra i libri del Pitré).

« Comunque, questo non è che un aneddoto sulla cultura siciliana nel momento in cui, secondo il Gentile, dava i suoi estremi, crepuscolari bagliori. Più importante è il fatto che proprio in questi giorni, mentre di nuovo a palazzo Chiaramonte fervono i lavori di riadattamento, e stavolta per restituirlo alla struttura originale, il giornalista Giuseppe Quatriglio ha riscoperto le tre celle note al La Mantia e al Di Vita e rimaste ignote al Pitré: intatte, forse perché finora salvaguardate dai fascicoli di archivio che vi si conservavano. E sono la più viva e diretta testimonianza del dramma che l'Inquisizione è stato per i popoli ad essa soggetti: e quindi da conservare con ogni cura ed accorgimento.

« Non c'è sulle pareti spazio, sia pure minimo, che sia stato risparmiato dai prigionieri. Ognuno vi ha lasciato traccia della propria pena, dei propri pensieri. Chi ha segnato i giorni con una serie di aste verticali e chi ha affidato alla parete il grido della propria innocenza. Chi ha testimoniato rassegnazione e chi fierezza. Chi ha soltanto segnato il proprio nome e chi ha fatto versi di devozione. Chi ha trascritto passi delle Scritture e chi ha voluto dolorosamente irridere alla propria condizione e a quella dei compagni. E chi ha campito luoghi del ricordo, o della fantasia, e raffigurato Cristo, la Madonna, i Santi.

« Tra le scritte colpisce, ironica e beffarda, una che dice: *Allegramenti o carcerati, ch' quannu chiovi a buona banda siti*, cioè "state allegri, poiché se piove vi trovate in luogo riparato". E quest'altra, che suscita immagini di sofferenze, di torture: *Semper tacui*. Poi il reciso rovesciamento della visione cristiana della vita: *Poco patire / eterno godere / poco godere / eterno patire*. E di sé, e dei suoi compagni, uno scrisse: *Isti sunt qui calicem Domini biberunt*; mentre un altro riprovava la fiducia che aveva avuto nel prossimo (e di cui forse era frutto la prigione) con questo distico: *Maledetto è quell'uomo, iniquo e rio / che confidasi in uom e non in Dio*. E forse alludendo al destino oltremondano degli inquisitori un altro scrisse: *Pochi giungono al ciel, stretta è la via*.

« Meraviglia, in un luogo in cui, secondo le accuse, si dovevano raccogliere i campioni dell'eretica pravità, i bestemmiatori, i rei di pratiche e commerci col demonio, trovare tante espressioni di devozione, di preghiera. Due sonetti, uno completamente leggibile e l'altro fino al sesto verso, sono indirizzati alla Croce: di buona fattura, anche se non di intenso sentimento. *Tetre imagini ogn'astro a noi diffonde*, comincia quello completo. E i sei versi dell'altro dicono: *L'alme, che quasi erranti agne disperse, / Rischio correan di precipizio eterno, / Sotto quest'arbor santa al suo governo / In un raccolte il buon Pastor converse. / Su quest'altar gran Sacerdote offerse / Ostia a placar l'alto rigor Paterno.*

« Questi versi è da credere siano nati come commento a due grandi crocifissioni dipinte in due diverse celle, e da mano diversa. Una indubbiamente dovuta ad un artista di eccezionale sensibilità e di notevoli capacità tecniche; l'altra molto probabilmente a un dilettante che si rifà a moduli popolareschi. La prima raffigura Cristo in croce su un paesaggio forse familiare all'artista: case e chiese su una insenatura o golfo, dominate da un'altura su cui sorgono tre croci; lo sfondo, alto, di un cielo stellato e di una luna che nella sua falce accoglie un profilo caricato, espressivo di ipocrisia e di gelida ferocia. Considerando che la credenza popolare ravvisa nelle macchie lunari il volto di Caino, si può anche fare l'ipotesi che il pittore abbia voluto riprodurre le sembianze di un aguzzino o comunque di una persona che pesò sul suo destino. L'altra crocifissione, anche se non manca di suggestione, specie per il disegno del costato e del volto del Cristo, non ci pone il problema della prima: che è quello di approssimarci all'identità dell'autore.

« Questo problema ripropongono anche un paesaggio (un vero e proprio *trompe-l'œil*: e nell'avara luce doveva apparire come uno di quei dipinti su seta tenuti da bastoncini metallici e attaccati al muro con un cordoncino) e un tondo di considerevole grandezza in cui sono iscritti la Madonna col Bambino e due Santi in adorazione (ed anche in questo c'è "l'inganno" di una cornice). Già la concezione del tondo non è di un pittore dilettante. E c'è poi, nel modo come è eseguito, nella disposizione, nello stile una cultura figurativa in cui prevale una certa esperienza del Seicento napoletano: il Giordano, il Solimena. Ma non pare si possa affermare che la più pregevole delle due crocifissioni (in cui è, se mai, un ricordo antonelliano) abbia qualcosa in comune col paesaggio *trompe-l'œil* e col tondo, che si possono con una certa sicurezza attribuire a una stessa mano. Una mano forse più alacre di quella che tracciò la crocifissione; o forse di uno che in carcere fece più lunga penitenza, se a lui si possono intestare altre figure di santi di stilema popolaresco.

«Problema dunque complesso, che si pone in questi termini: nel secolo XVIII si trovarono nel carcere dell'Inquisizione due pittori; uno di corretto mestiere e di sufficiente cultura; l'altro non meno preparato tecnicamente, non meno informato, e di più complessa sensibilità ed espressione. Problema quasi insolubile, e anche da parte di più profondi conoscitori dell'arte e degli artisti di questo periodo. E si trovò di fronte a un problema analogo il Di Vita, nel tentativo di attribuire i disegni geografici della Sicilia: che, tracciati sicuramente nel Seicento, e sicuramente non prima del 1637, non potevano essere che di mano di un geografo o di un uomo di eccezionale cultura. E il Di Vita azzardò due nomi: Carlo Ventimiglia o Francisco Nigro. Ma non c'è prova che uno dei due abbia avuto a che fare con l'Inquisizione. E così sarebbe per un qualsiasi nome, di artista operante in Sicilia nel Settecento, che ci avventurassimo a proporre per questi dipinti.

«I pochi nomi che siamo riusciti a leggere sulle pareti non appartengono a nessuno che sia noto come pittore; Giuliano Sirchia, Pietro Lanzarotto, Francesco Gallo. Quest'ultimo annotava di essere stato in quella cella per diciassette giorni, nel mese di aprile del 1772: e nessuna delle altre date che qua e là si leggono è anteriore al 1770. Per cui è da pensare che lo strato ultimo del palinsesto, cioè quello a noi visibile, sia relativo all'ultimo ventennio dell'Inquisizione in Sicilia. Questa considerazione, che bisognerebbe però controllare attraverso un più minuzioso esame, viene a restringere ulteriormente il campo delle indagini: dal 1770 al 1782. Ma il risultato sarebbe in ogni caso discutibile, incerto. E viene da chiederci: quante persone, dal 1487 al 1782, si trovarono, in Sicilia, ad avere dolorosamente a che fare con l'Inquisizione? Sappiamo per certo che almeno duecentotrentaquattro furono i rilasciati al braccio secolare per la suprema pena del rogo. Ma quanti sono stati gli inquisiti, i condannati a pene minori? E quanti tra loro i poeti, i filosofi, gli artisti?

« La risposta a queste domande è chiusa nelle carte della "Inquisición de Palermo o Sicilia", nell'Archivio Nazionale di Madrid. Speriamo che qualche storico si decida a studiarle ».

2. Traduzione italiana: *Epopea della Spagna*, Milano, 1948. Nello stesso libro, altro fiorellino di D'Ors sull'Inquisizione: « ... convien ricordare che l'Inquisizione, in Spagna, fu un'istituzione meno religiosa che politica; più che politica, pedagogica; più che pedagogica, poliziesca ». Questo stile e giudizio *a coda di sorcio*, che si assottiglia e svanisce, è la grande risorsa di D'Ors: e gli va bene quando parla del barocco, ma decisamente male quando parla dell'Inquisizione. Lo storico gesuita Juan de Mariana, che scriveva alla fine del secolo XVI, era molto più avanti di Eugenio D'Ors (ed anche, bisogna pur dirlo, di qualche nostro storico) nei riguardi dell'Inquisizione. Vero è che, a guardarsi le spalle, la diceva « rimedio mandato dal Cielo », ma aggiungeva: « Ciò che soprattutto meravigliava era che i figli pagassero i delitti dei padri; che non si conoscesse né si palesasse colui che accusava, né ci fosse citazione di testimoni, tutto al contrario di ciò che anticamente era d'uso negli altri tribunali. Oltre a questo, sembrava cosa nuova che simili peccatori fossero puniti con la pena di morte; e ciò ch'era più grave, che a causa di quelle investigazioni segrete

venisse meno la libertà di ascoltare e parlare, per il fatto che c'erano nelle città, paesi e villaggi, persone che avevano il compito di riferire ciò che accadeva: cosa che alcuni ritenevano come una schiavitù gravissima e simile alla morte » (*Historia de España*, Toledo, 1592).

3. A. Castro, *La Spagna nella sua realtà storica*, Firenze, 1955.

4. *Diari della città di Palermo dal secolo XVI al XIX*, per cura di Gioacchino Di Marzo, vol. V, Palermo, 1870.

5. Pitré, *op. cit.*

6. C.A. Garufi, *Contributo alla storia dell'Inquisizione di Sicilia nei secoli XVI e XVII*, in « Archivio storico siciliano », XXXVIII-XLIII (1914-1921): lavoro di straordinaria importanza, che meriterebbe di essere ristampato in volume, considerando anche l'irreperibilità di qualcuno dei fascicoli dell'« ASS » in cui è contenuto.

7. *Relazione dell'Atto Pubblico di Fede celebrato in Palermo a' 17 marzo dell'Anno 1658 del P.D. Girolamo Matranga, Chierico Regolare Teatino, Consultore e Qualificatore del Tribunale del S. Ufficio di Sicilia*, seconda edizione con nuova aggiunta, Palermo, 1658. La prima edizione, intitolata *Raccolta dell'Atto* ecc., è meno ricca di notizie ma si apre con due curiose incisioni relative alle smorfiature astrologiche del padre Matranga.

8. Pitré, *op. cit.*

9. Di Pedro Arbues o de Arbues (san Pietro de Arbues) e del suo martirio, nell'*Inventario dei beni mobili esistenti nel palazzo del Sant'Officio di Palermo* compiuto dal Tribunale del Real Patrimonio il 27 marzo 1782 (in La Mantia, *L'Inquisizione in Sicilia*, Palermo, 1904) figurano ben tredici quadri, un-

dici dei quali, nel primo salone, ne raccontavano la vita.

10. Racalmuto, Archivio della Matrice, Registro Battesimi 1600-1622.

11. N.T.M., *Racalmuto. Memorie e tradizioni*, Girgenti, 1897.

12. Ludovico Paramo o de Paramo è l'autore di quel libro che Voltaire infilza, alla voce Inquisizione, nel *Dizionario filosofico*. « Luigi [Ludovico] di Paramo, uno dei più rispettabili scrittori e dei più vivi splendori del Sant'Uffizio ... Questo Paramo era un uomo semplice, esattissimo nelle date, che non ometteva nessun fatto interessante, e calcolava col massimo scrupolo il numero delle vittime umane che il Sant'Uffizio aveva immolato in tutti i paesi ».

13. Vito La Mantia scrisse, sull'Inquisizione di Sicilia, due libri ricchissimi di documenti, in prevalenza raccolti nella Biblioteca comunale di Palermo: *Origine e vicende dell'Inquisizione in Sicilia*, estratto dalla « Rivista storica italiana », Torino, 1886, e *L'Inquisizione in Sicilia*, Palermo, 1904; e il secondo non è, come qualcuno afferma, una ristampa del primo.

14. Con il *Contributo* ecc., già citato.

15. In La Mantia, *Origine* ecc., già citato.

16. Garufi, *op. cit.*

17. Uno studio di grande interesse è, in proposito, quello di Salvatore Caponetto: *Origini e caratteri della Riforma in Sicilia*, in « Rinascimento », VII, 2 (dicembre 1956).

18. A. Castro, *op. cit.*

19. Serafino Amabile Guastella, *Canti popolari del circondario di Modica*, Modica, 1876: « Una menoma disubbidienza, un'espressione oscena, una se-

mi bestemmia facea incorrere nella punizione del *collaro*, inflitta spietatamente dal Parroco ... il giovinetto delinquente, o almeno supposto tale, venia racchiuso pel collo entro quel cavicchio di ferro, gli si legavan dietro al dorso le mani, e indi denudato dalla cintola in su veniva unto di miele. Al pianto, agli stridi, al chieder misericordia, alla preghiera di cacciarglisi almeno le mosche si rispondea con le ingiurie e con una tempesta di fischi. Tutti i ragazzi, condotti a bella posta dalle famiglie, eran lì ad avvertimento presente, e a minaccia futura». Quest'uso, aggiunge il Guastella, durò « sino ai primordi del secolo ». Evidentemente, con la soppressione dell'Inquisizione, la corte del vicario poté finalmente impadronirsi dell'agognata privativa del collare.

20. Genova-Roma-Napoli, 1940.

21. F. Maggiore-Perni, *La popolazione di Sicilia e di Palermo dal X al XVIII secolo*, Palermo, 1892.

22. *Dizionario topografico della Sicilia* di Vito Amico, a cura di G. Di Marzo, Palermo, 1859.

23. R. Pirro, *Sicilia Sacra*, libro terzo, Palermo, 1641.

24. N. Tinebra Martorana, *op. cit.*

25. Ristampato in volume, senza data, dalla casa editrice milanese La Madonnina.

26. I. La Lumia, *Giuseppe d'Alesi e la rivoluzione di Palermo del 1647*, Palermo, 1863.

27. *Sacro Arsenale* si intitolano di solito quelli che diremmo manuali di procedura dell'Inquisizione: e sono molti. Tra i tanti, ci è stato particolarmente utile il *Sacro Arsenale* del domenicano Eliseo Masini, inquisitore, pubblicato in Bologna nel 1679. Curioso libro, per l'abbondanza di casistica ereticale: e perciò, probabilmente, si ebbe un

provvedimento di sequestro e distruzione da parte del Sant'Uffizio stesso (Caillet, *Manuel bibliographique*, Paris, 1913).

28. A. Italia, *op. cit.*

29. Agrigento, Archivio della Curia Vescovile, Registro Visite, 1643-1644.

30. Racalmuto, Archivio della Matrice, Registro Morti, 1648-1664.

31. G.E. Di Blasi, *Storia cronologica dei Viceré, Luogotenenti e Presidenti del Regno di Sicilia*, Palermo, 1842: « Costui avendo diverse volte finto di ricredersi, era stato finalmente condannato per parecchi anni alla galera; ma avendo ivi suscitati i suoi compagni a sollevarsi, fu di mestieri che il tribunale gli mettesse di nuovo le mani addosso, e lo confinasse ad una perpetua carcere ».

32. Nel citato *Contributo* ecc. E qui è da osservare che questo lavoro del Garufi, pubblicato, e probabilmente scritto, senza continuità di tempo, anche se con coerenza di intendimento, tra il 1914 e il 1921, cade a volte in piccole sviste o contraddizioni: come quella, che stiamo per notare, di attribuire al Giuffredi, nel fascicolo XL, quel verbale che esattamente, nel fascicolo XXXIX, aveva attribuito a uno spagnolo che scriveva « un siciliano misto con forme ortografiche e dialettali proprie della sua lingua ».

33. Prefazione al volume citato dei *Diari della città di Palermo*.

34. S. Di Pietro, *Inquisizione e Sant'Offizio in rapporto al diritto pubblico naturale-cristiano*, Palermo, 1911.

35. I. La Lumia, *op. cit.*

36. P. Garcia, *Modo di processare nel Tribunale del S.O. della Inquisizione di questo regno di Sicilia*, Pa-

lermo, 1714. Il passo da noi riportato, nel citato saggio del Caponetto.

37. *Diari della città di Palermo dal secolo XVI al XIX*, per cura di Gioacchino Di Marzo, vol. XVII, Palermo, 1880: del Marchese di Villabianca.

38. Garufi, *op. cit.*

39. H.C. Lea, *The Inquisition in the Spanish Dependencies*, New York, 1908. Ma per quanto riguarda la Sicilia, quest'opera, in complesso fondamentale, offre pochissimo di nuovo relativamente ai due libri già citati del La Mantia (cui largamente attinge) e a quel *Breve rapporto del Tribunale della SS. Inquisizione di Sicilia* dell'inquisitore Antonio Franchina, pubblicato in Palermo nel 1744. Dal quale quasi alla lettera traduce questo passo: « morì d'una ferita fattagli nella fronte da fra Diego La Matina, domentre con tutta la carità lo stava visitando nelle carceri secrete ».

40. Archivio di Stato di Palermo, Protonotaro del Regno: Cerimoniali, vol. 1060, pp. 488-89.

41. Delio Cantimori (*Prospettive di storia ereticale italiana del Cinquecento*, Bari, 1960) divide in tre tempi la storia delle eresie riformiste in Italia:
« 1) L'evangelismo, nel quale non si possono agevolmente distinguere il movimento di riforma cattolica e il movimento filoluterano, filozwingliano, o in genere favorevole ai protestanti. Termine cronologico ad quem: 1541-1542 (morte di Giovanni di Valdés; Sant'Uffizio).
« 2) La crisi dell'evangelismo; fughe clamorose o meno, esilio, diffondersi dell'anabattismo, primo affacciarsi delle posizioni o tendenze di tipo nicodemitico. Termini cronologici; dal 1541-1542 al 1560 circa.
« 3) La seconda generazione, sue speranze, sua sconfitta (Carnesecchi). Fine del movimento in

Italia (a meno di residui clandestini, anabattistici o meno). Termini cronologici: 1560 circa-1580 circa».

42. Sul caso della baronessa di Carini, famoso per una storia popolare in versi pubblicata nel 1870 dal Salomone Marino, si veda il recente studio di Aurelio Rigoli, *Le varianti della « Barunissa di Carini »*, Palermo, 1963.

43. Nel lavoro del Garufi, già ripetutamente citato, se ne trovano esempi: e particolarmente nella prima parte.

44. *Diari* ecc., si veda la nota 37.

45. « Mercure de France », giugno 1782; ma anche in La Mantia, *L'Inquisizione in Sicilia*, cit.

46. Nella *Vita*.

47. Marmontel, *Memorie*, Milano, 1822.

48. Ma anche se congeniale alla sua formazione e al suo temperamento, la decisione di distruggere l'archivio dell'Inquisizione non fu presa da Caracciolo. Già è evidente, dal diario del Villabianca, il sollievo della classe aristocratica siciliana di fronte all'avvenimento: e si indovinano le trepidazioni e sollecitazioni che lo precedettero, cui dette voce ufficiale l'inquisitore supremo monsignor Ventimiglia. E del resto lo stesso Villabianca esplicitamente lo dice. Ma ancora dura in Sicilia, anche presso persone di una certa cultura, l'idea corrente, relativamente al Caracciolo, di « quello che ha fatto bruciare l'archivio dell'Inquisizione »: idea alimentata addirittura da uno storico, Isidoro La Lumia, che pure lavorò, per il suo saggio su Caracciolo (in *Studi di storia siciliana*, Palermo, 1870), sui diari del Villabianca. Ma c'è da dire che la classe colta siciliana ha generalmente mostrato nei riguardi del Caracciolo una certa insofferenza, se non addirittura avversione. Con le dovute eccezioni, s'intende.

49. Brydone, *Voyage en Sicile et à Malthe*, traduit de l'anglois par Demeunier, Amsterdam, 1775.

50. *L'Atto Pubblico di Fede solennemente celebrato nella città di Palermo a' 6 aprile 1724 dal Tribunale del S. Uffizio ... Descritto dal D.D. Antonino Mongitore*, Palermo, 1724. In una relazione manoscritta che è nella Comunale di Palermo (3 Qq B 151, n. 29) si legge che fra Romualdo « tutto battizzava per inganno de' demonii, cioè inganno l'infallibilità del Pontefice, inganno l'adorazione dei Santi, non essendovi altro Santo che Dio (quantunque ammettesse gli uomini dabbene, quali dicea essere stati Lutero, Calvino, fra Diego La Matina...) ».

Oltre le cronache, le relazioni, gli studi qui citati, ho letto (o presumo di aver letto) tutto quel che c'era da leggere relativamente all'Inquisizione di Sicilia: e posso dire di aver lavorato a questo saggio più, e con più impegno e passione, che a ogni altro mio libro. E mi hanno accompagnato in questo lavoro, così come certi temi e frasi musicali per ore o per giornate intere a volte ci accompagnano, certe notazioni (di natura musicale appunto) del mio amico Antonio Castelli: quelle che nel suo finissimo libro che s'intitola *Gli ombelichi tenui* dicono delle nostre radici (sue come mie), del nostro respiro, della nostra misura umana nel paese in cui siamo nati. E mi hanno accompagnato i ricordi: di persone amate e stimate, della mia famiglia e del mio paese, che ora non sono più. Uomini, direbbe il Matranga, di *tenace concetto*: testardi, inflessibili, capaci di sopportare enorme quantità di sofferenza, di sacrificio. Ed ho scritto di fra Diego come di uno di loro: eretici non di fronte alla religione (che a loro modo osservavano o non osservavano) ma di fronte alla vita.

Ma non voglio, dopo aver scritto (a mio modo) un saggio di storia, declinare memorie e stati d'animo. E dico semplicemente che questo libretto è dedicato ai racalmutesi, vivi e morti, di *tenace concetto*.

Mi resta da aggiungere un ringraziamento: e come le mie ricerche furono in gran parte infruttuose, in proporzione inversa è il numero delle persone cui debbo gratitudine. E in particolare a Gonzalo Alvarez, Antonino Cremona, Enzo D'Alessandro, Romualdo Giuffrida, Giovanna Onorato, Michele Pardo, Fernando Scianna, Giuseppe Troisi; a monsignor Giovanni Casuccio e a monsignor Alfonso Di Giovanna.

PICCOLA BIBLIOTECA ADELPHI

Stampato nel gennaio 2006
dal Consorzio Artigiano «L.V.G.» - Azzate

Piccola Biblioteca Adelphi
Periodico mensile: N. 279/1992
Registr. Trib. di Milano N. 180 per l'anno 1973
Direttore responsabile: Roberto Calasso